月刊文庫 文蔵 2023.7・8 目次

190 宮部みゆき
きたきた捕物帖㊸ 氣の毒ばたらき その九
火事場泥棒を捜すため、北一は胡乱な輩が出入りしている長命湯を訪ねる。

148 戦慄の最終回
福澤徹三
恐室 冥國大學オカルト研究会活動日誌（終）
オカ研の仲間の前に、失踪していた麻莉奈が現れ、すべてを語り

話題の著者に聞く
180 宮島未奈『成瀬は天下を取りにいく』
時代は変わって
思春期に感じる

242 寺嶌 曜『キツネ狩り』
グラフィックデザ
生まれた物語

250 リレーエッセイ わたしのちょっと苦手なもの❺
岡本真帆 名刺交換

57 WEB文蔵

252 筆者紹介

254 文蔵バックナンバー紹介

表紙デザイン・菅野はるな／本文デザイン・小林美代子

小説で

CONTENTS

インタビュー 額賀 澪

ブックガイド

「働き方」が多様になった今だからこそ読みたい

「仕事の転機」に勇気をくれる物語

――内田 剛

特集 転職、異動、出向、独立、左遷!?

ジョブチェンジ 未来を拓け

ここ数年、コロナ禍の中で
リモートワークが広まったように、
世の中の「働き方」は時代と共に
大きく変わっていきます。
どう働くかは、どう生きるかに通ずるもの。
本特集では新しい人生のスタートと言える
「仕事の転機」をテーマにした
小説をご紹介していきます。

「転職」という人生の節目に展開される人間ドラマを描きたい

取材・文＝友清 哲／写真＝青地あい

Interview

額賀 澪

PROFILE

Nukaga Mio

1990年、茨城県生まれ。日本大学芸術学部卒業。2015年、「ウインドノーツ」（刊行時に『屋上のウインドノーツ』と改題）で第22回松本清張賞、同年、『ヒトリコ』で第16回小学館文庫小説賞を受賞する。著書に、『ラベンダーとソプラノ』『弊社は買収されました！』『世界の美しさを思い知れ』『風に恋う』『競歩王』『沖晴くんの涙を殺して』、「タスキメシ」「転職の魔王様」シリーズなど。

このほど、『転職の魔王様』のテレビドラマ化が発表された額賀澪さん。それに合わせて一巻が文庫化され、シリーズ新刊『転職の魔王様2.0』が七月に刊行される。

転職エージェントに勤務する主人公・千晴が遭遇する、キャリアに悩む会社員たちのそれぞれのドラマを描いたこの作品は、人々の働き方や仕事観の変化を、敏感に反映した物語とも言える。会社員経験を持つ額賀さんに、人生と仕事について聞いた。

コロナ禍で大きく変わった人々の仕事観

――シリーズ前作『転職の魔王様』から約二年半が経ちますが、あらためて反響はいかがでしたか？

額賀　前作を執筆していた時は、東京オリンピックの延期が決まり、世の中が非常に混沌としていた時期でした。これは同時に、コロナ禍でリモートワークが一気に浸透し、働き方ががらりと変わったタイミングでもありました。そのため私の周囲でも、今後の働き方やキャリア、転職について考えた人が多かったようで、この物語を自分事として捉えてくださった方が多かった印象です。

サイン会などのイベントで読者の方とお会いした際も、「今の職場がこういう状況なので、他人事とは思えませんでした」とか、「この話は私が昔働いていた会社にそっくりなんです」などと、自分の体験談をまじえた感想をいただくことが多くて、やはり職場や仕事については皆さんいろいろ思うところがあるのだなと実感させられました。

——その意味では前作では、そもそもリモートワークという働き方に触れるべきか否か、難しい判断があったのですね。

額賀　そうですね。この先、コロナ禍がどれだけ長引くのかも見通せず、世の中がまだ戸惑っていた時期だったので、コロナについてもリモートワークについても、はっきりとは触れずに少し匂わせる程度で扱いました。とくにコロナは迂闊に描くと、もし早々に収束した場合、数年後には物語がすごく古く見えてしまう懸念もありますからね。

——そして続編、『転職の魔王様2.0』が七月に刊行されます。もともとシリーズ化の構想はお持ちだったのでしょうか。

額賀　明確に考えていたわけではないのですが、やはり一度こういう作品を書くと、その後も働き方改革とか転職関連などのニュースに目が行くものなんです。たとえば、リモートワークがメインになったことでオフィスを縮小したのはいいものの、おかげでフル出社に戻したくてもキャパシティ的にそれができなくなった企業の話とか、仕事はオフィスでやりたいのに出社させてもらえずストレスを抱えている会社員の話とか、『転職の魔王様』で描いた領域でいろんなことが起きていましたからね。それで自然と、「こういうテーマもありかも」と、頭の中にいくつかネタがストックされていたというのはあるかもしれません。

――これだけ急速に働き方が変わっていると、続編執筆までの二年半の間の変化を物語の中でどう扱うべきなのか、迷いもあったのではないでしょうか？

額賀　それでいうと、一作目のラストが三月の設定で、続く二作目は翌四月から始まっているので、物語の中ではほんの一カ月しか経っていないんですよ。

だからむしろ、劇的な変化は描きにくいので、その意味でもあまりコロナ禍を強調して描かなくてよかったなと、胸をなでおろしています（笑）。

――なるほど。新型コロナウイルス感染症の5類移行後の続編リリースは、タイミング的にも絶妙だったわけですね。

額賀　そうですね。登場人物にマスクをさせるかどうかという問題にしても、一作目の時点で、したい人だけつければいいという、ゆるやかな時代がそのうち来るのではないかと想像しながら書いていました。これは正解だったと思います。もっとも、感染症ですからこの先どうなっていくのかは、誰にもわからないことですが……。

労働市場の変化を物語にどう生かすか

――世の労働市場に目を向けると、この二年半というのは、Z世代が新人から中堅に差し掛かり始めた時期でもあります。それによる人々の仕事観の変化については、どうお考えですか。

額賀　そこはまさに私としても悩みどころで、正直、まだ手探りの部分もあります。ただ、今回の『転職の魔王様2.0』でも、転職を望む二十八歳のフリーライターが、「今どき週五出勤はナンセンスだ」、「自由な働き方がしたい」と語るシーンがありますが、こういう世代の考え方やカルチャーは無視できないと思います。

　実際、私は大学の講師をやっているので、自分より十歳以上下の学生たちと話す機会が多いのですが、就活事情の違いにびっくりさせられることが少なくありません。

　私が就活をしていた頃はまだ、その企業の平均残業時間や有給取得率を聞くのはご法度（はっと）で、仕事に意欲的ではないと捉（とら）えられてしまう時代でした。でも今は、どれだけホワイトな働き方が実現されているかを確認するのは、当たり前のことですからね。この十年でいかに労働環境が真っ当になったかの、表れだと感じます。

——労働力不足による、逆転現象かもしれませんね。

額賀　おっしゃる通りで、売り手市場というのはこういうことなのでしょう。それに終身雇用も今は昔で、面接や面談の時点で、まさかその会社に一生お世話になろうとは、誰も考えていないわけです。たった十年で世の中はこれほど変わるのかと、実感させてくれる面白さが就職・転職マーケットにはありますね。

——まさに今回、短期間でのジョブホッピングを前提に求職活動を繰り返す「転職王子」が登場します。

額賀　転職の先に何があるのかを考えた時に、本気で腰を落ち着けられる職場を探し続けるのか、あるいは会社員という選択肢を捨てて独立するのか、現実には様々なパターンがあると思います。そうした中で、引っ越し感覚でぽんぽん転職を重ねる人が、最終的に自分の居場所をどう見つけるのかという物語を描いてみたかったんです。こういう特殊なケースは、まだ世界観が浸透しきっていない一作目でやるよりも、続編でやるほうが効果的ですしね。

――また、「転職の魔王様」こと来栖嵐(くるすあらし)のライバル的存在として、「転職の天使様」と呼ばれる天間聖司(てんませいじ)の登場も印象的です。

額賀　ドラマ化が決まったあとで言うのも何なのですが、私は以前から、連ドラ的な文脈で小説を書くことができないだろうかと模索(もさく)していました。言い換えれば、エンタメらしく折りに触れ新たなキャラクターが投入される手法ですね。この「転職の天使様」の場合は、悪徳業者と囁(ささや)かれる転職エージェントも少なくない中で、まるで天使のように手厚いエージェントもいるという、現実のニュースをヒントに描き出したキャラクターでした。ドラマ版とはまた違った面白さを、こうして多様なキャラクターを通して表現していければと考えています。

――当事者にとって、転職は人生を少なからず左右する一大イベントです。だからこそ、こうして物語として表現しやすい側面があるのでしょうか。

額賀　それはありますね。大人にな

額賀 澪さんのお仕事小説

『できない男』
集英社文庫
定価：704円

『弊社は買収されました！』
実業之日本社
定価：1,760円

れば、仕事は誰しも日々の暮らしの根幹にあるものです。よほど特殊な境遇の人でないかぎり、働いてお金をもらうことを抜きに生活は成り立ちません。一日二十四時間しかない中で、その大部分を仕事に費やさなければならないわけですから、どういう職業を選ぶのか、どういう働き方をするのか、その人の人間性や人生が少なからず介在するはずです。だからこそ、人は転職という節目でいろんなことを考え、悩み、決断するのだと思います。このシリーズを通して、そうしたドラマの醍醐味を感じ取っていただければ幸いです。

――次回作も楽しみにしています。本日はありがとうございました。

＊定価は税10％です。

ブックガイド

「働き方」が多様になった今だからこそ読みたい

「仕事の転機」に勇気をくれる物語

文・内田　剛

　コロナ禍によって拍車がかかったのが「働き方改革」だ。多くの犠牲(ぎせい)を払いながら非日常が、普通の生活に溶けこんでいった。リモートワークの普及によって仕事のスタイルも、大幅に変化している。いわゆる「ブラック企業」も新たな利益追求と働き手の確保のためにイメージアップ戦略に躍起(やっき)となっている。仕事の変化はいかにして社会に、人間たちに、そして物語に影響を与えているのだろうか。これは興味深いテーマである。

業界の垣根を越え、人の成長を描く

まず取り上げたいのが安壇美緒『**ラブカは静かに弓を持つ**』だ。打ち震えるほど魅力的な「音楽×スパイ小説」である。著作権を管理する団体の若い職員に与えられた特命は、音楽教室に潜入して楽曲の使用権が侵害されていないか調査すること。予期せぬミッションによって彼が抱えてしまった内なる爆弾、静かな激情、隠しきれない懊悩。緻密に仕込まれた企みに言葉を失った。組織と個人、それぞれの正義の交錯は決して特別なことではない。極めて普遍的であり、読みながら自分の生き様についても考えさせられる。チェロの音色は深く豊かに心の奥底に響きわたり、理知的な展開の中から滲み出る人間的な情感がとりわけ印象的。既存の価値観が揺らいでいるこの時代の空気も的確に描き出していて、冒頭からラストまで読みどころしか見当たらない。刊行直後に、現実世界でも本書のケースと類似した事件のニュースが話題となり社会派の側面も持つ。これは広く読まれるべき作品と強く感じた。

小野寺史宜『**タクジョ！**』は新卒女性タクシー運転手が活躍する物語だ。「女性ひとりでも安心してタクシーを利用してもらい

『タクジョ！』
小野寺史宜著／実業之日本社文庫
定価:814円

『ラブカは静かに弓を持つ』
安壇美緒著／集英社
定価:1,760円

たい」という主人公の志望の動機も真っすぐな成長譚がメインであるが、一期一会の乗客とのドラマだけでなく、仲間である運転手たちは訳ありの転職組が多く、物語に彩りをそえる。一筋縄ではいかない個性派たちとの関わりの中に「ジョブチェンジ」の醍醐味が感じられるのだ。さまざまな人生を乗せて走る日々は刺激に満ちている。失敗こそが成功の糧。かけがえのない縁が未来への道を切り拓く。清々しい風とゆるやかに繋がる世界観がしみじみと心を震わせる。知られざるタクシー業界ネタはもちろんのこと、登場人物たちの絆が切り拓く道行き、それぞれの人生が重なり合う。隅々まで抱きしめたくなるほど愛おしい一冊だ。

中村航『**広告の会社、作りました**』は新卒入社からわずか一年三か月で、突然、勤務先の会社が倒産してしまったデザイナーの物語。組織や社会に対して絶望していた日々に、あるコピーライターとの運命の出会いが待っていた。その場で企画書を書くというきなりの実践から、コンペ参加のためにたった二人での会社設立をするなど、怒濤の展開の中での主人公の成長ぶりが清々しい。構成とオチも絶妙で、一気に心を鷲摑みにさせられる。キャ

『広告の会社、作りました』
中村 航著／ポプラ文庫
定価:704円

ラクターもフレーズも心憎いばかり。愉快に上機嫌に仕事すること、当事者になること、夢を語りあう素晴らしさ。生きる上で大切な真理に気づかされて一〇〇点満点。読み終えて素直に「よし、頑張ろう！」という気になる。まさに仕事の楽しみは人生の喜び。ビジネスのヒントと金言がたっぷりと詰まった、読後の余韻も最高な一冊である。

出世も転職も楽じゃない！

垣谷美雨『**あきらめません！**』もまた強烈なインパクトを放つ一冊だ。夫の田舎に移住した霧島郁子（六十）の夢のセカンドライフはまさかの議員生活。理不尽な現実と決別し、未来のために心血を注ぐ決断に痺れっぱなし。ただ痛快なだけでなく、この国の、社会の、地域の、組織の、個人の病理をズバリと指摘した価値ある問題提起の書となっている。タイトルを口にしただけで元気になる。名シーンやパワーワードも豊富なので映像化にも期待したい。旧態依然としたこの社会を鋭く切り裂く物語だ。

『あきらめません！』
垣谷美雨著／講談社
定価：1,705円

碧野圭『**駒子さんは出世なんてしたくなかった**』は仕事と家庭の両立に奮闘する女性（四十二）が主人公。突然の抜擢人事から始まった闘いの日々。歴史のある出版社ならではの旧習との対立に疲弊をするのはほんの序の口。目には見えない信頼と裏切り、人事から煽られる強烈なライバル関係、そしてよもやのコロナ禍の逆境。小さな身体に載せきれないほどの重荷を背負いながら、ビジネスとプライベートともに真正面から向き合って、力強く未来を切り拓く姿に奮い立つ。女性ならではの切実な懊悩が生々しく綴られており、むしろ男性にこそ読んでもらいたい。

本城雅人『**四十過ぎたら出世が仕事**』は課長になって早々に社内トラブルを抱えた男の物語。この社会のみならず、人間そのものを知り尽くしている著者の観察眼の確かさが存分に伝わってくる。齢四十は「不惑」というのに悩みが深まるのは何故だろう。何事にも表と裏、光と影、悲哀があれば歓喜もある。出世のレール、会社の歯車、筋書きのない人間模様。誰もが得手と不得手、どちらもあるから面白い。いかに無様であったとしても嫉妬と憧憬を抱えて闘い続ける人々が愛おしくなる。読みながらいっ

『四十過ぎたら出世が仕事』
本城雅人著／祥伝社
定価:1,760円

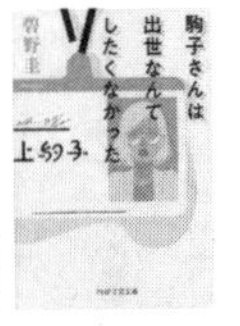

『駒子さんは出世なんてしたくなかった』
碧野 圭著／PHP文芸文庫
定価:858円

たい何度「これこそが仕事だ。これぞ運命だ」と膝を打ったであろうか。とかく人生はままならない。だからこそ全力を注ぐ価値がある。こぼれ落ちる本音の数々に容赦なく心が揺らいだ。ほの暗かった足元に確かな灯火を照らす、圧倒的な人間臭さが魅力の物語。タイトルの印象から中高年向けに感じられるが、若い世代にこそおススメだ。

瀧羽麻子『**あなたのご希望の条件は**』はアラフォーでバツイチの女性が主人公の、転職エージェントの物語。「人は何のために仕事をするのか」という普遍的な問いかけには、永遠に答えが出ないと思っていたが、己の心持ちと同時に変化していくものだったのだ。確かな今をしっかりと意識させ、これから行くべき先を指し示し、迷った感情に寄り添ってくれる物語。仕事、結婚、そして人生。様々な転機は自分を見直すチャンスでもある。建前と本音の探り合いから見えてくる未来。リセットして初めて感じる景色も貴重である。運命は天から授かるものであり、自分の手で切り拓くもの。人それぞれの価値観と多様性を認めることの大切さ。誰も信じられなくなってもこの一冊があれば大きな助けとな

『あなたのご希望の条件は』
瀧羽麻子著／祥伝社文庫
定価:836円

る。これは誰のものでもない。紛れもない私たちの物語だ。

仕事の転機を描いた小説といえば、額賀澪(ぬかがみお)の『**弊社は買収されました！**』が思い浮かぶ。衝撃の企業買収ニュースから始まり、本社移転に人員整理。老舗(しにせ)石鹸会社の伝統の香りを残すことはできるのか。買収する側とされる側。それぞれ違った思惑(おもわく)で確執(かくしつ)はあれども、最大のピンチは唯一無二のチャンスでもある。居心地の良い会社を作る肝はやっぱり人であると痛感させられた。そして『**転職の魔王様**』も転職エージェントの物語である。人生に迷える子羊たちを救う若き凄腕キャリアアドバイザー。杖をつく彼にも秘密があった。具体的な転職の事例の中から見つかる仕事の極意。主人公たちと共に読者も自分探しができる人間ドラマに共感必至。選択だらけの人生には決意と覚悟が必要である。勢い止まらず続編の『転職の魔王様2.0』の刊行も嬉しいニュースだ。新米キャリアアドバイザー誕生の余韻の中で登場したのは転職の「天使」と「王子」。強烈キャラが巻き起こす騒動は序章(じょしょう)に過ぎず、終盤には吃驚仰天(びっくりぎょうてん)の展開が巻き起こる。自分探しの魅力とパワーみなぎるこのシリーズから一寸たりとも目が離せない。

『転職の魔王様』
額賀 澪著／PHP文芸文庫
定価：924円

『弊社は買収されました！』
額賀 澪著／実業之日本社
定価：1,760円

新天地で奮闘する主人公に感動

藤岡陽子『**メイド・イン京都**』は婚約者の実家に馴染めずに個人衣料ブランドを立ち上げる女性の物語。主人公の切実な葛藤や選びとった生き方に大いに刺激を受けた。誰にでも訪れる人生の岐路。何かを選ぶことは同時に捨てることでもある。厳しい現実に突きつけられる優先事項。自分を輝かせてくれる存在に気づけば明日が見える。大切な絆と心が通った生き様は素晴らしい。悩みぬいた末の選択に共感の嵐。強く確かな「ものづくり」に対する情熱は、この作家の小説への想いにも繋がっている。「作り手」の愛が存分に凝縮されたこの物語は、後悔しない人生のための座右の書となるだろう。

古内一絵『**最高のアフタヌーンティーの作り方**』は、老舗ホテルで念願の部署に配属された女性が主人公。どんな人でも孤独を抱え、痛みや哀しみといった影の部分がある。この物語にはそんな背負った重石を下ろしてくれる力がある。単なる頑張り屋のお

『最高のアフタヌーンティーの作り方』
古内一絵著／中央公論新社
定価:1,760円

『メイド・イン京都』
藤岡陽子著／朝日新聞出版
定価:1,760円

仕事小説でもレシピも楽しめる料理ものでもなく、人生の酸いも甘いも感じさせる上質な人間ドラマだ。底抜けに優しくて温かくて包容力のあるムードに思う存分に癒される。「回り道にも意味がある」といった極上のフレーズも突き刺さり、「人が生きていくのは苦いもんだ。だからこそ、甘いもんが必要なんだ」という殺し文句に真理がある。登場人物もさまざまな世代が登場しており、幅広い世代に味わってもらいたい。疲れた身体にしみわたる、最良のご褒美文学といえよう。

苦難を乗り越え「仕事」と向き合う

安藤祐介『崖っぷち芸人、会社を救う』の舞台は経営危機のスーパーだ。バイトのお笑い芸人たちが「実業団」を結成し、会社の経営存続のためにプライドを懸けて立ち向かう。息もつかせぬ展開からさり気なく気づかされるのは、生きていく上で忘れかけていた大切なもの。抜群に面白いだけでなく明日への糧となる。閉塞感を打ち破るパワーも全開。とびきりの元気をくれる物語。

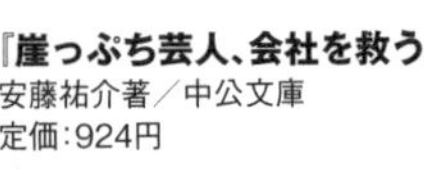
『崖っぷち芸人、会社を救う』
安藤祐介著／中公文庫
定価:924円

夢を摑めなかった者しか伝えられない事があり、好きだからこそ仕事に打ちこめる。まさに原点回帰できる一冊。ブレイクを目指すお笑い芸人の一直線の奮闘ぶりも痛快だ。読めば必ず奮い立つ。やはり「おもろい」は正義なのである。

村上しいこ『**あえてよかった**』も素晴らしい。読み返す度に涙がこぼれる。妻を喪い仕事を辞め生きる希望を失った五十八歳。夢枕での亡き妻からのメッセージを聴き取って学童保育所でバイトを始める。死に場所のはずだった新たな世界で見つけた喜び。令和の子どもたちの肉声の一方で昭和のおじさんの本音が伝わり、絶望を希望に変える奇跡を目の当たりにできる。「大事なのは、生きようとする力なのです」など雄弁なメッセージも豊富だ。子どもは天使じゃない、大人だって万能じゃない。人を教えることは、自分が教わることでもある。成長は子どもたちだけの特権ではなく大人でもできるのだ。人は誰でも十字架を背負っているが、同時に使命も持っている。辛くても苦しくても自分にできることを貫こう、という大きな力を与えてくれる。己の無力さと闘い続ける、溢れんばかりの学びと成長の日々。人肌の温もり

『あえてよかった』
村上しいこ著／小学館
定価：1,760円

と底知れぬ優しさが身に沁みる。清らかな感動が伝わるこの一冊は、読む者の血となり骨となるだろう。不器用でも真っ直ぐ生きる者たちの人生讃歌である。

朝倉宏景**『エール　夕焼けサウスポー』**は人生最大の挫折から這い上がる男の物語。プロ野球選手の夢破れての戦力外通告。失意と絶望の先に不本意ながら居酒屋店員となって社会人チームへと転身する。しかし一度ゲームセットを味わったどん底での日々の中から、不思議と湧きあがってくる情熱があった。家族、チーム、そして自分のために。感謝の想いが新たな夢の扉をこじ開けるのだ。生き残りをかけた勝負は終わらない。心が奮い立つ高揚感に止まらない興奮。手に汗握るクライマックスは、まるで映像を見ているかのようで鳥肌が消えない。全力で生きることの尊さが伝わる熱き一冊だ。

最後にどうしても紹介したい作品が、はらだみずき**『会社員、夢を追う』**である。本書は自伝的な物語であるからこそ、特別にして濃密な文学世界を醸し出している。舞台は銀座、時代は昭和のバブル期。出版社に就職希望だった若者が紙を専門に扱う商社

『エール　夕暮れサウスポー』
朝倉宏景著／講談社文庫
定価：836円

に入社して奮闘するストーリーだ。理不尽だらけの仕事に対する新入社員の苦悩や、甘酸っぱい恋模様が当時の空気感そのままに再現されており見事の一語。無我夢中で過ごしたあの時の記憶。火傷（やけど）するほど熱い青春模様が鮮烈（せんれつ）なだけでなく、紙に関する専門用語が飛び交うマニアックさと本に対する愛情が全編から湧き上がり、天国的なボリュームの約五〇〇ページを堪能できる。これは決して単なる昭和の回顧（かいこ）譚ではない。仕事と恋愛、そして追い続ける夢の存在が激しく胸を打つ。自分が何者かさえもわからずに社会に出て、必死にもがいた末に主人公が出した決断は読む者を震わせるであろう。夢を貫くことが運命を変える。まさに神がかったような物語の奇跡を味わえる。これぞ時代を超えて魂を揺さぶり続ける名作なのだ。

　小説はこの時代の世相を映す鏡である。とりわけ仕事をテーマにした物語は人それぞれの生き方に直結する。人生は毎日が選択の連続であるから「ジョブチェンジ」は誰にとっても他人事ではない。未来に向けた希望に溢れた作品たちが、読者たちの明日を少しでも鮮やかに色づけられるよう願ってやまない。

『会社員、夢を追う』
はらだみずき著／中公文庫
定価:990円

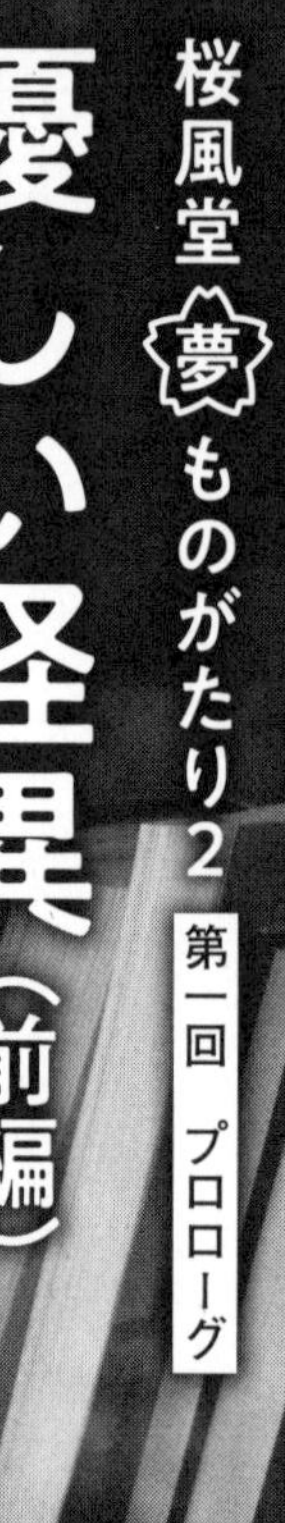

桜風堂夢ものがたり2

優しい怪異（前編）

第一回　プロローグ

村山早紀
Murayama Saki

月原一整が、その見知らぬ少女を初めて見かけたのは、山間の桜野町に梅雨の雨が降り始めた時期の、ある黄昏時のことだった。

その日は桜風堂書店の店休日で、彼はひとり、本の発注やら棚や平台の手入れやら、細々とした仕事をしながら、開業間近のブックカフェのメニューを改めて考え直したりしていたのだった。

そう、一整が桜風堂書店を引き受けようと決めたとき、店を続けて行くために考えた、店内で開業する小さなカフェは、ついにこの夏、七月に開業の日を迎えようとしていた。この梅雨が終わり、空が青く晴れ、入道雲が浮かぶ頃には、その店はささやかに、けれど華やかに開店しているはずだった。

当初考えていたよりも遅めのオープンになったのは、いまや名実ともに店の責任者である一整に初めての異業種の準備や勉強が必要だったことの他に、思い切って、一階フロアの一部を大きく改装したからでもあった。正面玄関右横の辺りの壁を壊し、店の面積を広げた。半ば温室のような、大きな出窓と天窓、ガラスの扉を持つ空間を新しく作った。そこにカフェスペースを置くようにしたのだった。

日の光が入る、明るいその空間は、例えば読み聞かせやサイン会などのイベントにも使おうと考えていた。いつかの合同サイン会のような大規模なものではなく、こじんまりとしたトークショーのようなものならば、立派に開催できるだろう。

元々店の面積にはゆとりがあり、本棚を多少整理したり移動させたりすれば、カフェスペースをそのまま作れそうではあったのだけれど、それをすれば居心地の良い空間にはならないような気がした。買ったばかりの本を手に飲み物を楽しんだり、友人や家族、あるいはここで初めて出会ったひとびとと会話を交わしたり。ゆっくりと時間を過ごしてもらうためには、ゆとりのある空間が欲しかった。

また、以前からのこの店の常連である、本を愛するひとびとに、カフェスペースのために本の数が減った、とか、棚と棚の間がきつくなって本を探しづらくなった、などなどの、寂しい思いもしてほしくなかった。お客様のみなが嬉しく楽しくなるような、喜んでもらえるような改装にしたかった。

桜風堂書店の周りには、広い中庭や前庭、立派な庭がある。元の店主や透とも相談した上で、思い切って、店の面積を広げるための改装に踏み切ったのだった。

改装のための資金は、桜風堂書店が属するチェーンである、銀河堂書店がほぼ全額を負担してくれた。銀河堂書店に、そしていまは亡きオーナー金田に、一整は深く感謝し、かかった金額に見合うだけの売り上げをきっと出そうと心に誓った。そして何より、あの夜聞いた金田の願いの通りに、この地に書店の灯火をたやすまいと、改めて誓ったのだった。

改装後、新しくできた大きな窓の外は、いま、夕刻の紫陽花の花のような色の光に満ち、そこに銀の針のような雨が静かに降りしきる。かすかな雨音に混じって、遠くに寄せる波や風の音のような響きの優しい音楽が鳴っているのは、地元桜野町に住んでいる、まだ十代のミュージシャンが作った曲だ。一整は、地元のラジオを聴いていないときは、配信された彼の曲を、店内で再生していた。この街の光と空気を感じるような、優しく柔らかい音色で、店に流れていると、落ち着くのだ。

店には彼の手作りのCDも置いていて、この店のお客様たちや、たまに訪れる旅行者たちに少しずつ売れていったりする。彼は彼で、YouTubeチャンネルやSNSで言葉少なに桜風堂の紹介をしてくれたりもして、それで遠方から来店があったりするので、持ちつ持たれつの楽しい関係でもあった。たまに学校の帰りに、友人たちと店に来てくれることもあって、そんなときの彼は普通の高校生に見える。

　楽しい関係といえば、店内のそこここに飾っている小さな額（がく）に入った木版画の絵葉書も、町で暮らしている木版画家の作品だ。彼女は最近町に移り住んできた版画家で、ある日たくさんの見本を持って、ふらりと売り込みに来た。無口で愛想のない人物だったけれど、本や本棚をモチーフにした版画はどれもあたたかみがあってとても良かった。このひとは本が好きなのだろうと思った。額装したものを数枚店内に飾り、絵葉書として印刷したものを預ってレジで売ることにした。常連のお客様たちに、版画は好評で、絵葉書の売れ行きも良いので、桜風堂書店のブックカバーと栞（しおり）を発注して、刷ってもらうことにした。出来上がったのはこの店と桜の花、それに猫のアリスをあしらったブックカバーと栞で、どれもお客様に大好評だった。カバーと栞が欲しいから、と、本を買って行くお客様が続出したほどだ。

　桜風堂書店オリジナルのブックカバーは以前からありはしたのだけれど、記載されている電話番号が昔といまとでは桁数（けたすう）が違っていたりして、使うに使えなかったらしい。老いた元店主は、愛らしいブックカバーが刷り上がってくると、目を輝かせ、紙の匂いを楽しみ、抱くようにして喜んでくれた。うつむきがちな版画家は、自分の作品が喜ばれたことを言葉少なに喜び、数日後、「これはおまけです」と、町内の手書きの地図を刷って、持ってきてくれた。手書きの温かみとペーソス、思わぬ発見に満ちたその地図は、店の入り口にいつも置いて、無料で配布している。最近では許可を得て、商店街の他の店でも置かせてもらうようになった。

店内には、気がつくと少しずつ、地元のひとびとの作ったものが並べられ、増えてきていて、それがこの店に新しい風と光を運ぶようだった。以前から、夏にはアイスクリームやサイダー、冬には焼き芋を売ったりしてはいたのだけれど、一年を通して本以外のものを本格的に置くのは、これが初めてのようだった。

元の店主は、店が明るくなった、お客様も喜んでくださる、と、一整に感謝してくれた。

「こういうこともしたかったのだけれど、気持ちにゆとりがなくて、手が回らなかったんですよ。本を何とか並べるだけで、精一杯で」

一整にしてみれば、前の大きな書店に勤めていたとき、地元の商店街や店の入っている百貨店と店長との交流があり、地元や百貨店ゆかりのさまざまな品を店内に置いていた、その記憶もあって自然にしていたことだった。けれど、たしかに、本だけを置いているよりも、いろんな客層が店を訪れるようになった。本は買わずに帰って行くひとびともいたけれど、訪れてくれるだけでも、ひとの気配がありがたかった。それに、そのときは買わずとも、次に来店したときは本や雑誌を買って帰り、それ以降、常連客となったり、友人知人をつれてきてくれるひとびともいた。

　書籍以外のものを置くということは、そのぶん、本を並べるためのスペースが削られるということではある。この店の常連である、本を愛するひとびとをないがしろにしないように、そこは気をつけて、並べ方や飾り方の工夫で、そうと意識させないようにした。

　本以外のものを置く、という意味では、これから始まるカフェはその集大成のようなもので、かつ、その売り上げと集客能力は今後のこの店の未来を左右するものだった。

　オープンの日が近づくにつれ、一整は緊張で胃の辺りが心許（こころもと）なくなることもあった。自分が頑張りさえすれば、頑張らなくては、と思うけれど、カフェの経営は未知の経験で、どれほど準備や勉強を重ねても不安になる。

　そんなときは、桜風堂書店の一階フロア、人文の棚担当の書店員であり、この町の喫茶店のオーナーでもある元編集者、藤森章太郎（ふじもりしょうたろう）が、背中を叩いてくれた。

「ま、なんとかなるさ。大切なのは、店を背負う覚悟と、勇気を出し、顔を上げて走り出すことさ。信念を持って前に進めば、きっとみんながついてくるものさ」

　二階フロアのコミックと児童書担当の若き書店員、沢本来美（さわもとくるみ）も、明るい笑顔で、

「わたし、看板娘とかやっちゃいますから」

といいながら、恥ずかしくなったのか、小さな声で、えへへ、と笑った。

メニューをどうするか、食材をどこでどう入手するか、それには藤森が知恵を貸してくれた。顔が広く、誠実な彼は、農家や牧場のひとびとともやりとりがあった。また彼は地元の商店街の顔役のひとりでもあり、そういう意味でも、守護神のようにとことん頼りになった。

美大生で漫画も描ける来美は、パソコンを駆使して、イラストや写真をセンス良くあしらった、美麗なメニューやちらしを作ってくれた。もともとカフェメニューが好きで、都会にいた学生時代、飲食のアルバイトをしたこともあるそうで、カフェに必要そうな小物を準備するとき、楽しげにアドバイスをしてくれた。

ふたりとも、ブックカフェの開業を楽しみにしていて、もちろんカフェスペースの仕事もいまの書店の仕事とともにこなすつもりでいてくれる。このふたりが桜風堂にいることが、どれほどありがたく、心強いことなのか、一整は日に何度も感謝し、噛みしめていた。

「当然、ぼくも手伝いますからね？」

カフェの話をしていると、前の店主の孫、料理が上手で聡明な透も、さりげなくその場に加わることが多かった。中学生になった少年は、最近、目に見えて背が伸び、大人びてきた。透がいうには、彼の小学校時代からの友人ふたりも桜風堂書店の大ファンなので、カフェの開店で忙しくなるなら、ここはひとつ、と、手伝うつもりでいるらしい。腕まくりをしているような様子らしいとか。

　透の足下で、三毛猫のアリスが顔を上げて、ものいいたげに一整を見上げる。窓辺の止まり木では、鸚鵡の船長が、白い両の翼と、頭の冠を広げるようにした。

『トーゼン、ボクモテツダイマスカラネ？』

「ありがとう。もちろんあてにしてるよ」

　一整は笑う。心底楽しくて。

　鸚鵡に会釈し、三毛猫の頭をなで、以前ほどには、身をかがめなくても視線が合うようになった透の肩にそっと手を置いて。

　ひとりではないということは、なんてありがたく、楽しいことなのだろうと思う。

　いまは遠い昔に思えるような、この町に来るまでの日々、凍てつくような心で、ひとりきり生きていた頃のことが、夢の中の出来事のように思えた。

　思いをめぐらせながら、ひとり店内を歩いていた一整は、ふと足を止め、届いたばかりのつややかな木のカウンターやテーブルが並ぶ店内を眺めた。もうじきに迫った七月の開業を前にして、埃をかぶらないように布をかけた真新しい什器からは、木の良い香りが漂っていて、それが店内の本たちや、壁に作り付けた背の高い棚に並べたいくつもの缶や瓶——そこに入ったコーヒー豆や紅茶の葉、香草やスパイスの香りと混じり合って、懐かしく柔らかな匂いが辺りに立ちこめていた。

これら什器類は、町の古い木工店に頼んで、手ざわりの良い、美しいものを特注でこしらえてもらった。いまの桜風堂書店にとっては、やや釣り合わない、贅沢な投資といえないこともない代金で、元の店主はその金額を告げたとき、わずかに心配そうな表情になった。

けれど、これだけは、と、一整は頭を下げ、自分の貯金からの支払いにした。彼の幼い頃に亡くなった父親の生前の夢が、本をたくさん置いた喫茶店を経営することであり、父の残した財産を含む一整の貯金を使うことは、供養にもなるような気がした。父はきっと喜んでくれるだろう。

桜風堂書店を引き継いだときも、店を背負う責任を持つことを心に決めたけれど、一整は自分の発案でカフェを開く以上、この先、どんな困難があろうと絶対に後には引かず、工夫を重ね、諦めずに経営を続けるつもりでいた。恥ずかしくないレベルの美しい什器を揃えたのは、あえて迷いを断ち、退路を断つような、そんな想いもあってのことだった。

　ここ数日、そういったものたちがひとつまたひとつとできあがってきていて、小さなトラックで届く。職人さんたちがにこにこの笑顔で店内に運んでくれて、輸送用の箱から出して、店内に置くところまでしてくれるのは、嬉しくも申し訳なくもあった。けれど、彼らにしてみれば、大切に造ったテーブルや椅子が、どんな風に置かれ、使われるのか、確認できるのも嬉しいことらしかった。

「うちの家具は、正直な話、やや高めの価格設定にしているのですが、その金額に釣り合うような、わかるひとにはわかる素晴しい品物ばかりだと自負しています。なので、遠くからもよく注文が来ます。ええ、はるばる海外からもです。それはありがたいんですが、店から送り出せば、それきりさよならになっちゃいますからね。こんな風にきちんとお嫁入りさせてあげられるのは、嬉しいことですよ」

　椅子の背やテーブルの角をなで、笑顔を浮かべて写真を撮るひとびとに、一整はせめて、と、淹れたての熱く美味しい珈琲を出したりしたのだった。

　桜野町は、昔から林業を営んできたひとびととのつきあいも深く、家具や木工を仕事としてきたひとびとも多く住んだり出入りしていた。一時期はかなり減っていたらしいのだけれど、ここ数年は町長の施策も効いて移住者が多く、その中には、都会から移り住んできた、木工を志すひとびともちらほらといて――実際、桜風堂にもよく、そんな若者たちが専門書を注文しに訪れたりする――一整はどうせなら、と、カフェのために必要な什器類を地元で揃えることにしたのだった。

実をいうと、送料を考えても、オンラインショップで海外の安い什器を揃えた方が、安上がりでそこそこ見栄え（みば）の良いカフェはできあがるだろうという思いがありはした。――けれど、実際にできあがった什器の数々を見ると、一整も、そして元の店長も、この選択が正しかったと心から思った。あとはこの美しい什器類に恥じない店を開き、美味しいメニューを用意して、お客様を迎えるだけのことだ。

決してたやすいことではないだろう。けれど、一整は逃げないと決めている。それなら何があろうと、カフェと書店を守っていくだけのことだった。

笑顔で手をさしのべてくれるひとびとの、その力と知恵を借りながら。

気がつくと、窓の外には夜が近づいていた。これは適当なところで切り上げないと、元の店主も透も、休むに休めないだろう。

オープンの日が近づいて、やや神経質にあれこれと考えることの多い一整に気を遣って、ふたりがそっと見守っていてくれている、その気配をよく感じていた。たぶん今夜も、静かに夕食の準備を済ませて、店舗の二階にある住居で、鸚鵡や猫と一緒に、一整の帰りを待ってくれているに違いない。

一整は離れの部屋を借りて住んでいるのだけれど、食事はいつもみんなと一緒だった。

一階のダイニングキッチンや二階の居間、ときには中庭で、店のことや町のこと、何より本について語り合ったり、たまに猫や鸚鵡の声の合いの手が入りながら食べる夕食は――もちろんその翌朝の朝食も――いつも美味しくて楽しかった。一整には子どもの頃以来、久しぶりの、家族を感じさせる大切なひとときだった。

それに透たちも気づいているのか、食事は三人揃ってから、と決まっていた。

「今夜のおかずは何かな」

そう思うと、忘れていた空腹を感じて、お腹が鳴った。一整は苦笑しながら、店の中を手早く片付け始め、ふと、その手を止めた。

背中の方で、誰かの気配がする。

箱を開けるような音も。中に入っているものをごそごそと引っ張り出し、梱包材を開けてほどこうとするような物音も。

「――透くんかい？」

背中を向けたまま、一整は訊ねた。手伝いに来てくれたのだろうと思った。

店のそちら、元から置いてある大きなテーブルの上に、今日届いた小振りな段ボール箱がいくつか置いたままになっていた。

これも地元の陶器店や雑貨のお店に注文していた、お皿やカップ、カトラリー類だ。箱を開けて中を確認しなくては、と思いながら、今日はそこまで手が回らなかったのだ。

「透くん、ありがとう。いいよ、そのままにしておいて。明日、明るくなってから開けよう」

返事はない。

深く考えずに振り返ると、そこに、透はいなかった。ふだんよりも明かりを落とした店の中心あたりに、知らない女の子がひとり、立っていた。

幼稚園児——いや、小学一年生くらいだろうか。

ひとなつこい感じの笑みを浮かべ、梱包にくるまれたコーヒーカップをそっと取りだして、テーブルの上に丁寧に置いた。

どこか得意そうににっこり笑うと、開けた箱を横にどけ、新しい箱を開こうとする。小さな段ボールだけど、小さな手には扱いづらいようで、それでもできるだけ丁寧に開けようとしているのが見て取れた。

割れ物だし、勝手に開けられても困るのだけれど——。

いや、それ以前にこの子は誰だ?

「ええと、きみは……」

とっさに思ったのは、本を買いに来た子どもなのだろうか、ということだった。定休日の札を店のドアにかけていたけれど、店内に明かりが灯（とも）っていたので、開いていると思って入ってきたのかも。

勘違いしたお客様の来店は、まあ良くあることだ。——ただ。

（見たことのない女の子だなあ）

最近、この街に引っ越してきた家の子どもなのだろうか。あるいは旅行者の子どもとか。町の住人の誰かの親戚の子どもかも知れない。夏休みにはまだ早いけれど、何かの用事があって連れられてきているのかも。

（それにしたって、もう夜なのに、何だってひとりで店に来たのだろう？）

それとなく辺りをうかがったけれど、この子の他にひとの気配はない。

一整は接客業のキャリアが長いこともあって、ひとの顔や雰囲気を覚えるのが得意だった。

なので、この子を見るのは初めてだといいきれた。知らない女の子だ。この子の方ではなぜか、よほど親しい相手を見るように、明るい笑みを含んだまなざしで、にこにこと一整を見上げているけれど。

そして、一整も、この子を見ているうちに、ふと、

（——この子、知っているような気がする）

そう思えてきた。

大きな茶色い目や、えくぼのある色白の頬に、肩に掛かる、ふわふわとした茶色い髪に、たしかに見覚えがあるような気もするのだ。

知っている誰かに、似ているような。

それが誰なのか、思いだせないけど。

(ではやはり、この町の誰かの親戚の子なのかな?)

きっと店の常連のどなたかに似ているのだ。

心の中で納得をしながら、

「いらっしゃいませ」

と、一整は女の子に挨拶をした。

「ごめんね。今日は店休日だから、お店は開いていないんだけど、何か欲しい本があるのかな?」

女の子はきょとんとした顔をした。

そして、『知ってるよ』と、いった。

『だから、お手伝いしているんだもの』

それは細いけれど、よく通る声で、その声を聴いたとき、一整はああこの声も知っている、と思った。——誰の声だろう?

誰の声に、似ているのだろう？

そのとき、鈴の音がした。にゃあん、という声と一緒に、三毛猫のアリスが、首輪の鈴を鳴らし、かろやかに店内に駆け込んでくる。

猫はそこに立つ女の子を一瞬見上げるようにして、そのまま、一整の足下へと走り寄った。立ち上がり、膝の辺りで爪を研ぐ。

「わあ、ちょっと待ちなさい。人間の足は爪とぎじゃないったら。ズボンに穴が……」

一整は身をかがめ、猫の手を取った。

「迎えに来てくれたのかな？　ありがとう」

早く帰って来て、晩ご飯にしましょう、と呼びに来たのだと思った。

猫には毎日の予定の通りに人間に行動をしてもらいたがるところがある。いつも同じ時間に起きたり、食べたり寝たりしてもらえないと、心配になるらしいのだ。だから猫は目覚まし時計のように、同じ家に住む人間を起こすし、帰宅する時間には玄関まで迎えに出る。夜には、ちゃんと眠るかどうか、そばで見守っている。夜更かしをすれば心配そうに見つめて鳴いたりする。猫がこんな風にいつも人間を案じ、見守っている生き物だと、一整は知らなかった。

そんなこんなでアリスに話しかけ、かまっているうちに、ふと気がつくと、女の子の姿が消えていた。

テーブルのそばに、つい今し方まで立っていた小さな姿が、かき消すように消えていたのだ。

足音もしなかった。店の扉が開く音も。閉まる音も。忽然と消えてしまったのだ。

一整は、さっきまでその子がいたあたりを見つめたまま、目をしばたたかせた。猫のアリスも、一整が見つめるのと同じ方を見上げたまま、ゆっくりと首をかしげた。

「――夢見ていたわけじゃないよな？」

テーブルの上には、あの子が開けた小さな箱がひとつと、コーヒーカップがひとつ。開けかけた箱や他の箱たちといっしょに、静かに並んでいた。

それからだった。

ふとしたはずみに、一整が視界の端に、その女の子を見るようになったのは。

その子は、いつの間にか、一整のそばにいる。それは店内のこともあれば、町の中のどこかのこともあった。ひとりでいるときもあれば、町のひとたちの中に、ふと紛れていることもある。

当たり前にそこにいるので、そのときは違和感を覚えない。その子の姿が消えてから、あ、またあの子がいた、と気づくのだった。

不思議なのは、見かけるたびに、少しずつ女の子が成長して行くように思えることだった。最初に見たときは、とても幼く、幼稚園児かせいぜいが一年生くらいだったはずの女の子は、次に見たときは、ほんのわずかに大きくなって見えた。もう幼稚園児ではなく、いかにも小学生らしい姿に。その次に見かけたときは、すっきりと手足が伸びて、三年生くらいに見えた。昨日見た姿は、十才か十一才か、どこかおとなびた姿に見えた。

不思議なことに、現れるたびに年齢が違って見えるのに、見かけるごとに、ああの子だと思った。別人には見えなかった。理屈ではなく、目と心が素直にそう判断する。「あの子」が大きくなっていっているのだと。

そのたびに一整は自分の目と判断力を疑ったりもしたのだけれど、もともと消えたり現れたりする、謎の女の子である。やがて「そういうもの」なのだろうと、考えることにした。――あれが幻ではなく、実在するものだとしたら、どの道、普通の女の子ではない。それならば、見るごとに姿が成長しても、おかしくはない――のかも知れない。

一日一日と日々は過ぎ、夏が、七月が近づく。気がつけば、気温が低い山間のこの町でも、紫陽花の緑色のつぼみが色とりどりに染まり、赤や青、ピンクに紫の花が開き、そこここを彩り始めていた。

歴史が古い観光の町である桜野町には、町の名の由来となった桜の木々を始めとして、様々な花や木がそこここに植えられ、大切に育てられている。折々に美しい姿で住民や観光に訪れた人々の目を楽しませるのだった。

女の子は梅雨の雨の中に、傘も差さずに立っていることもあった。濡れることも気にならないように、紫陽花のそばに立ち、楽しげに、ちょっといたずらっぽく笑いかけてくる。

そして、わずかな間そこにいて、いつの間にか、いなくなってしまう。

一整以外のひとびと――たとえば、前の店主や透には、あの女の子は見えていないようだった。なので、一整はふたりにはその子の話をしていなかった。万が一、一整の目が幻を見ているのだとしたら、そこまで疲れているのか、カフェ開業で追い詰められているのかとふたりを心配させてしまいそうで。

(お化けだったとしても、それはそれで大変なのかも知れないけど)

この頃では、その方が良いんじゃないかと開き直るように、思い始めていた。

お化けだろうと妖怪だろうと、見えてしまうものは仕方がない。そう思うと、いっそ怖くなかった。

正直な話、目前に迫ったカフェのオープンとその先の桜風堂書店の未来に待っていそうな試練や終わらない出版不況の方がよほど恐ろしかったのと、その女の子はいつもにこやかで楽しそうで、怖い要素は欠片もなかったからかも知れない。

何しろ、いきなり現れて、またいきなり消えてしまうし、会うごとに成長してゆくこと以外は、可愛くてひとなつこいだけの、笑顔の女の子だったのだから。

（お化けか妖怪か、正体はわからないけど）

もしあれが、錯覚とかそういう幻覚でないのなら。この世界に存在する何者かなら、このまま自分のそばにいてくれてもいいのだ、と思った。

あんなににこにこ楽しそうなら、別にいつでも現れていい。ちょっと存在が謎なだけで、誰のことも害さないのなら、そこにいてもいい。それなら、不必要に怖がったり、追い払ったりしなくていい、そう一整は思っていた。

思えば一整は、子どもの頃から、そういった不思議な存在が登場する童話や絵本が好きだった。そのまま成長し、内外の幻想小説を読むようになっていたから、おとなになったいまでも現実とは少しだけ違う世界や、そういう領域に属する存在に憧れる自分を一整は意識している。

幻想の世界に憧れるのは、心のどこかで――子どもの頃に死に別れた家族との再会をほのかに夢見、憧れていたからかも知れない。空想的な世界が——そこに属する様々な不思議や奇跡がもしもこの世界に存在するのなら、ひとの命は死後もきっと永遠で、いつか一整は亡くした家族と再び巡り会えると信じられるような気がしたから。

（再会に固執するわけではないけれど）

おとなになったいまでは、亡き家族のことばかり考えて生きているわけではない。ひとが生きるのはとても忙しいことで、死者を追憶するために立ち止まる時間は、あまりない。生きるとは、いまと未来の時間を、振り返ることなく進むことだから。

けれど、心のどこかで、そんな不思議があり得るかも知れないと信じていられるなら、幸せなのではないか、と一整は思う。

ひとは死んだらそれっきり、肉体とともに滅び去るだけだと思っているよりも、ずっと精神状態にいいような気がする。

寂しくなくなる。

この世界に、永遠のさよならほど悲しいものはないと思うから。たとえ実際には、遠い日に別れた人々との再会の日は巡ってこないとしても、その日を夢見ていられるなら、やはりささやかに幸せだろうと思うのだ。

　そんな日々を過ごしているうちに、ある休日の昼下がり、時代小説作家の高岡源が、ひょっこりと訪ねてきた。

　登山が趣味で健脚な彼は、今日も着慣れた登山服姿。颯爽と店に姿を現した。一整には懐かしい百貨店の地下にある菓子店の焼き菓子を、差し入れです、と笑顔で手渡し、一整はありがたく受け取った。

　高岡と桜風堂の間にはその後も交流が続いている。変わらずに桜野町の住民に慕われ尊敬されてもいる。カフェが軌道に乗ったら、誰よりも先にトークショーをお願いする、そんな約束になっていた。

　ちょうどお客様の姿がないタイミングで、藤森も用事で店を空けていた。一整はカフェスペースの真新しいカウンターに高岡を呼び、熱い紅茶でもてなした。小さな厨房も、少しずつ使い始め、練習を重ねたので、なんとか危なげなく、美味しい飲み物もいれられるようになっていた。

　高岡は紅茶を喜び、しばしふたりは、店のことや本の世界のことなど、いろんなことを語り合った。話は尽きなかった。

　高岡は新シリーズを立ち上げるところだそうで、気合いを入れるために、桜風堂を訪ねてみるかと思ったのだという。

「このお店を見て、空気に触れたら、忘れてはいけない大切なことをいくつも思いだせそうで。良いものを書かなくては、と、心に誓えそうな気がしましてね」

来て良かったです、と微笑んだ。

「――ありがとうございます」

一整は深く頭を下げた。

「新シリーズ、どんなお話になるのでしょうか。――あ、まだ秘密でしたら、遠慮して楽しみにお待ちしますが」

高岡は、笑いながら、大丈夫大丈夫、と両手を振った。

「そろそろ情報公開になる時期だし、きみになら、一足早く教えないと罰が当たります。『紺碧の疾風』から派生したような話でしてね。榊隆太郎、いるでしょう？　二刀流の。彼が主人公のシリーズを新しく立ち上げることになったんですよ」

「榊隆太郎ですか？　それはいいですね」

榊隆太郎は、高岡の大ヒット作『紺碧の疾風』の人気キャラクターだ。メインの舞台である長屋の住人のひとりで、ふだんは寺子屋の先生をしている、優しく、子どもも好きのする若者なのだけれど、実は歴史ある剣術の流派の後継者、町のひとびとの危機には先祖伝来の古の刀を振るう、二刀流の剣士なのだ。

『紺碧の疾風』のヒロインは、蘭学の医術を修めた、美しい女医美鈴、さるお方の御落胤であり、そのことは秘されているのだけれど、強く賢い彼女は多くのひとびとに慕われ、愛されていて、榊隆太郎もまた、美鈴に密かに恋い焦がれるひとりなのである。

美鈴には両思いだけれど互いにそうと口にしない思い人がいるので、榊は自らの思いを決して表に出さず、ただ美鈴をそっと見守っている。そんな榊には女性ファンが多かった。また、シリーズに登場するキャラクターの中では、一、二を争う強さであり、寺子屋の子どもたちにとってのヒーローでもあるので、時代小説ファンの子どもたちからの人気も高い。『紺碧の疾風』はテレビドラマ化され、コミカライズも進んでいるので、二世代、三世代に渡る読者も獲得できているのだった。

「榊が主人公の物語でしたら、たいそう人気が出るでしょうね」

よし、シリーズスタートの暁には、絶対にこの店でもたくさん売るぞ、と、まだ見ぬ本の姿を思いながら一整がこぶしを握ると、

「さて、どうでしょうねえ」

高岡は笑顔のまま、腕組みをした。

「せっかくの新シリーズなので、本編とは若干雰囲気を変えてみようかと思っていましてね。伝奇物風味、といいますか、ちょっとオカルト風味を加えてみようか

と思っているんです。その冒険があたるかどうかは、神のみぞ知る……」

「オカルト風味、ですか――」

もともと『紺碧の疾風』は伝奇小説の要素も持つシリーズだ。巻を重ねてきた物語の中には、妖しげな異国の魔術師や、超能力者、キリシタンの秘宝なども登場してきている。忍者や陰陽師たちも、味方のサブキャラクター、あるいは敵役として、なかば常連のように登場してくる。妖怪や幽霊、西洋の吸血鬼などもさりげなく登場したことがある。

一整の見立てでは、オカルトとは相性が良いような気もするけれど……。

高岡は楽しげに語り続ける。

「ホラー風味のバディ物といいますか、新しいキャラクターとして、榊の友人に霊能力のある人物を登場させて、彼と榊のふたりで力を合わせ、怪奇な事件を解決して行くような、そういう流れで考えてるんですよね。その新キャラは、見た目は美青年なんですが、世間知らずでちょっと抜けている。実は正体は、訳ありで長屋住まいになった、閻魔さまの甥でしてね。不老不死でたいそうな魔力を持っているし、お伴に子鬼も連れてるんですが、お人好しで人間が好きなんです。優しい榊は彼をほうっておけずに面倒を見る羽目になり、やがてふたりの間には友情が芽生えるんですよ。ふたりの楽しげな会話や、微妙にずれているやりとりで、読者を笑わせたりしながら、華麗な謎解きやアクションを描き、江戸の町の人情や、生きることの哀感にもふれてゆく、そんな感じで行こうかな、と」

なるほど、と一整はうなずいた。それはまた人気の出そうなキャラクターであり設定だと思う。特に、本来の高岡の作品の読者層よりも、より若い読者に喜ばれるのではないだろうか。

昨今、高岡の愛読者には若い層が増えている。特にネットで話題になり、テレビに登場するようになってからは、これまで少なかったライトな読者層も多くなっていた。おそらくはその層のフォローも考えての新シリーズ立ち上げなのだろうと一整は思う。

「わりとキャラクター文芸寄りの方向で考えてらっしゃるのでしょうか？」

「そうそう。本編よりもちょっとライトで、読み疲れしない感じですね。映像的で華やかで展開が早くて、いつか時を忘れ、読後は楽しくなるような。文章もその辺を意識して、良い意味で軽めに書いてみようと思っています。時代小説をあまり読まないひとたちでも面白く読めるようにね。そういうのにもね、一度、挑戦してみたかったんですよ。手にした読者さんに、時代小説って面白いかも知れない、と思っていただけるような作品にできたらいいな、と」

「先生でしたら、絶対面白い作品になると信じています。大丈夫に決まっています」

時代小説の読者は、もともと年齢が上で、年々さらに年老いてゆく。老いた目には活字を追うのが辛くなったり、書店通いが億劫になったりもして、いつかは本を読めなくなることも。すると年々読者の数も減ってゆく、つまりは売り上げも減っていくことに繋がる訳なので、ジャンルが痩せ細ってしまう危険がある。昨今はテレビの時代劇も減ってしまい、再放送される機会も減って、剣戟の世界に馴染みのない層が増えたということも、時代小説には不運な流れだろう。

いまや時代小説というジャンルを支える大きな柱のひとりである高岡源としては、自分の読者数の増減だけを考えてのことではなく、ジャンル全体の未来を見据えてのこと――時代小説を読む若手読者を増やしたいという思いからの新シリーズ立ち上げなのだろう。自らの手でその世界への「入り口」を作るつもりなのだ。

一整が前のめりになって聴いていると、高岡も嬉しかったのか、上機嫌な感じで、すでに思いついている設定やらエピソードやら、第一巻の内容やらを惜しげもなく話してくれた。

「実はわたしは、怪奇小説、というか今風にいうと、ホラー小説になるのかな、がもともと好きでしてね。もっというと、お化け話やら都市伝説やらにも若い頃から心引かれるんですよ。もしかしたら、時代小説と同じくらい好きかも知れません。

たまたま時代小説の世界で認められ、そういう作家になりましたが、もしかしたら、怪奇小説家になる未来もあったかも知れませんね」

柔和な目元が、いかにも楽しそうに笑った。

「怖い話がね、とにかく大好きなんですよ」

「ちょっと意外な感じが……」

「そうですか？」

くっくっと、高岡は喉の奥で笑った。冷めたであろう紅茶を美味しそうに口にする。

一整自身も、怖い小説――たとえば、いわゆるモダンホラーは好きだといっていい。キングなどは、好きな作家の名前を挙げるとしたら、十本指の中に入ると思う。

だけど、怪奇小説全般となると、好き嫌いはあって、たとえば江戸川乱歩や横溝正史あたりはじっとりと闇が深い気がして、あまり好みではないかも知れない。国内外のホラー小説とくくられる作品でも、血しぶきが上がったり、痛そうな描写があるような、いわゆるスプラッタ小説は進んで読みたくない。もしかして、高岡源はああいった作品群をも受け入れ、愛があるのだろうか。

高岡はカウンターに頬杖をつき、いたずらっぽい目をして、いった。

「怪奇現象というのか、お化けの世界が好きなのかも知れませんね。ちょっと不思議な話とか。現実世界の中に、ふと非日常の世界への入り口があって、そこに迷いこむと、奇妙なことが起きる――あるいは、その隙間から、怪しいものたちが手を伸ばし、ときにこちらの世界へと迷いこんでくることもある。そんな妄想を特に若い頃は、よくしていたものです」

「非日常の世界……怪しいものたち」

その言葉を耳にしたとき、あの謎の女の子のことがふと脳裏に浮かんだ。

店内に他にひとの気配がなかったこともあって、一整はついあの子のことを、錯覚だと思うんですけどね、と軽く笑いながら話した。

高岡は興味深げに話を聞いてくれた。

否定もせず、笑うこともなかった。

「それは不思議な出来事ですね」

と深くうなずき、ふと、いった。

「まるで、『ジェニーの肖像』みたいだ」

あっ、と一整は小さく声を上げた。

たしかに、ロバート・ネイサンの書いた物語とどこか似ている。

ニューヨークで暮らす、若く無名な画家とある夕方に出会い別れた、幼い少女ジェニー。天使のように愛らしい彼女はその後もどこからともなく青年のそばに舞い降りるように姿を現し、生き生きと微笑みかけ話しかけるのだけれど、不思議なことに会うごとにその姿が成長してゆく。再会するたびにおとなになってゆき、美しくなるジェニーと、青年は幾度もの出会いと別れを繰り返す。青年はいつかジェニーに恋をして、彼女の肖像画を描くのだが――。

時を越えて巡り会い続ける不思議な恋の物語は、時の流れの中で忘れられたのか、いまはもう日本の書店で出会うことが難しい。ずっと昔の本だから、一整は子どもの頃、祖父の書斎で出会い、読んだのだ。フランス人形のような愛らしいジェニーの絵があしらわれた、その箱入りの、小さな本の表紙をいまも思いだせる。

「わたしはあれを十代の頃に読みましたが、当時はちょっと画家になりたかったので、ときめきましたね。ははは」

高岡は楽しげに笑い、言葉を続けた。

「きみは、良い怪奇に出会ったようですね。素敵に愛らしい、優しい怪奇だ」

そんな言い方があるのかと、一整は不思議な心持ちになる。

(優しい怪奇――か)

謎の女の子も、そう呼ぶと、しっくりくるような気がした。

「先生は、ぼくの話を信じてくださるんですね?」

こんな錯覚か気のせいか、疲れのせいだと片付けたくなるような出来事を。

「それはもちろん」

高岡は微笑み、自分の言葉にうなずくようにしながら、こういった。

「いままで生きてきてね、実は不思議な経験がいろいろあるんですよ。まあつまり、いろんな怪奇と出会ってきたということです。

ないはずのものを見たことも、いないはずの誰かの声を聴いたこともある。どれもみな、錯覚だ、わたしの気のせいだで片付けることもできそうなことばかりですが――わたしは、自分の目や耳を信じることにしています。だってその方が、面白いじゃないですか。世界には謎や不思議があった方がいい」

だからわたしは、その君が会った女の子の存在も信じますよ、と高岡はいった。

「君がその子を見たのなら、その子はたしかに、存在しているんです。この世界に」

〈つづく〉

さよなら校長先生

2 コンパス 後編

瀧羽麻子
Takiwa Asako

信介が小学三年生に上がる直前の春休みに、母が家を出ていった。姉だけを連れ、信介は置いて。

突然の出来事だった。いなくなる前日まで、母にも姉にも変わったそぶりはなかった。おやすみと言いかわしていつもどおり床につき、翌朝、信介が起きたときにはふたりとも姿を消していた。

ふだんなら朝食の準備ができあがっている食卓は、夕食の後と同じように、きれいに片づいたままだった。父ひとりがぽつねんと席についている。

「お母ちゃんは？」

信介が驚いてたずねると、父は無表情に答えた。

「いない」

特段あわてているふうではなかったから、事前に話はついていたのだろう。ただ、その内容を息子に伝えるつもりはないようだった。信介のほうから気安く質問できる雰囲気でもなかった。

もともと寡黙だった父は、その日を境にほとんど口を利かなくなった。同じく無口な祖父も、沈黙を貫いた。

祖父と父と息子、男ばかり三人が残されたのだった。祖母はその数年前に亡くなっていた。

家事全般を一手に引き受け、さらに店の事務方も担っていた母と、その母をなにかと手伝っていた姉がいなくなって、梅本家の日常も梅本酒店の営業もたちまち行き詰まった。店はともかく家の中には、早急に女手が必要だった。

そこで、隣町に住む父の長姉がやってきた。信介の伯母だ。

適任といえば、これ以上の適任はなかった。伯母にとっては生まれ育った実家なので、家の中のことも、また家族のことも、よく勝手がわかっている。専業主婦で子どもはおらず、時間にも余裕があった。少しばかりがさつなところはあるものの、裏表のない性格の働き者で、荒れた家をてきぱきと片づけていった。

しかし、伯母の手によって家の中が快適に、また清潔にととのえられていくのと反比例して、信介の心は日に日に暗く濁っていく一方だった。息子を置き去りにした母にも、母に選ばれた姉にも、黙りこくっている父や祖父にも、腹が立った。

それから、一家の主婦然として家事をとりしきっている伯母にも。

むろん、伯母は悪くない。父や弟の苦境を見かねて手をさしのべてくれたのだ。厚意に感謝こそすれ、やつあたりするのはおかしいと信介も頭では理解していた。伯母のこしらえたおかずを食べ、伯母の洗濯した服を身につけ、伯母の掃除した部屋で眠っているというのに、筋違いないらだちを覚える自分にも嫌気がさした。

学校が休みで、友達と会わなくてすむのが不幸中の幸いだった。どんな顔をしていいのかはかりかねた。二年生の終業日に、またねと手を振りあって別れたときの自分とは、全然違う人間になってしまった気がした。遊びの誘いがあっても断って、日がな家にひきこもっていた。

不毛な時間を持て余し、自分の部屋でごろごろしているうちに、うたた寝してしまったことがある。

物音で目が覚めたのか、目が覚めてから音に気づいたのか、今となってはわからない。とにかく、その音は壁の向こう、隣室から響いてきていた。両親が寝室として使っている和室だ。

信介は寝ぼけまなこですっ飛んでいった。数センチばかり開いた襖(ふすま)の向こうで、ゆらりと人影が動いた。

勢いよく襖を開けると、伯母が肩越しに振り向いた。姿見の前に立ち、うぐいす色のブラウスを胸にあてていた。

「それ、お母ちゃんの……」

寝起きの声は弱々しくかすれて、中途半端にとぎれた。よく見たら、壁際に置いてあるたんすの抽斗が引き出され、周りの畳の上に見覚えのある洋服が何枚も無造作に放り出されていた。

ブラウスを持った手を下ろした伯母は、ばつが悪そうに言った。

「いらないから、置いていったんでしょ」

そのとおりだった。いらないものを、母は全部置いていった。父も、息子も、家も、仕事も。

「大丈夫よ、信ちゃん」

絶句している甥を憐れむように、伯母は声を和らげた。

「そんな顔しなさんな。伯母さんがなんでもやったげるから」

やがて新学期がはじまると、伯母は主婦に加えて母親の役回りまで任されること

前回までのあらすじ

酒屋を営む梅本信介は、孫娘のリナから〝校長先生〟の訃報を聞く。彼女はかつて信介の担任だった高村（旧姓平野）正子だった。先生を偲ぶ会が開催されると知った信介は、思い出の品を探しながら小学生の頃のことを思い出す。

になった。

保護者向けの連絡事項が書かれたプリントは、父に渡しても即座に伯母へ回された。宿題の確認も、授業で必要な持ちものの準備も、遠足のときの弁当作りも、伯母がやってくれた。

この頃には、母が家を出ていったことは近所にも広まりつつあったはずだが、友達からなにか言われることはなかった。子どもなりに気を遣(つか)ってくれていたのか、それとも親たちが小学生に聞かせるべき話ではないと判断して口をつぐんでいたのか、今となっては定かではない。いずれにしても、信介自身も何事もなかったかのようにふるまっていた。何事かがあったと示すような態度をとったら、母がいなくなったという事実を認めることになってしまう気がしたし、なにより恥ずかしかった。

一学期の序盤に、三年四組の担任として家庭訪問にやってきた平野先生には、伯母から事情を説明した。

伯母の声はよく通る。盗み聞きするつもりはなくても、同じ家の中にいれば自然に耳に入ってくる。

「いえいえ、そんな。わたしは子どもがいないもんですから、いろいろ至らないところもあるんじゃないかしら」

先生がなにを言っているかは聞きとれなかったものの、伯母の言葉をつなぎあわせればだいたい察しがついた。

「ええ、ぜひお願いします。先生にもご配慮いただけるなら、わたくしどももありがたいです」

伯母の熱弁を聞きながら、信介は暗澹とした気持ちになった。

まじめな平野先生のことだから、家庭に問題を抱えたかわいそうな子どもを、全力で「配慮」するに違いない。教師からそうやって気にかけられるような、特殊な存在にはなりたくなかった。みんなと同じ、普通でいたかった。

「そうそう、素直ないい子なんですよ。まあ、若干頼りないところもありますけどね。上の子とけっこう年齢が離れてますし、しかも男の子でしょう。ずいぶん甘やかされてたみたいで」

信介は愕然とした。自分が「頼りない」と、母に「甘やかされて」いたせいだとみなされてしまうなんて、それまで考えたこともなかった。

それからは、気をひきしめた。炊事や洗濯は伯母にやってもらうにしても、自分でできることはなるべく自力で対処するように心がけた。毎日の宿題は早めにすませ、苦手な野菜を飲み下し、忘れものや失くしものも格段に減った。

そうでなくても、母に甘えていたのと同じように伯母にも甘えるのは、母を裏切るようで気がひけた。がんばっていい子にしていればきっといいことが起きるはずだという、子どもらしい素朴な思考も、いくらか働いていたかもしれない。まだまだ純真な年頃だったのだ。

今から思い返してみれば、少々がんばりすぎていたのかもしれない。柄にもなく無理をして、いささか疲れがたまってしまっていたのだろう。

次の定休日にも、信介は物置部屋に足を踏み入れた。

あらためて見れば、大半の段ボール箱には、中身を示す注意書きがあった。アルバム、冬物衣類、タオル、漫画、といったぐあいだ。九割がたが妻の筆跡で、いくつか娘の字もまじっている。いちいち開ける手間が省けてありがたい。

なにも書かれていない一箱を選んで床に下ろしたところで、背後から声をかけられた。

「なにしてるの？」

手もとに気をとられていた信介は、飛びあがった。

「探しもの？」

振り向くと、ドアの隙間から妻の顔がのぞいていた。

「ああ、うん、ちょっと」

信介はあいまいにごまかした。妻は特に不審がるふうもなく、部屋の中までずんずん入ってくる。

「すごい埃ね。年末までに、一回ちょっと掃除しようか」

左右を見回して、くしゃみを連発している。

「で、なにを探してるの？」

「おれの子どもの頃のものって、どのへんにあるかな？」

信介は観念してたずねた。

「子どもの頃？　小学生とか中学生とかってこと？」

「うん。たぶん、箱かなにかにまとめてあると思うんだけども」

「記念のもの？　アルバムとか、文集とか？」

重ねて問われ、「いや」と信介は首を横に振った。

「コンパスなんだけど」

「コンパスってあの、円を描くやつ？」

妻が首をかしげ、空中で指先をくるりと回してみせた。

「なつかしいな。おとなになると使わないよね」

コンパスは、小三から道具箱に加わった新入りだった。

信介のコンパスは、二本の脚の片方に短い鉛筆を挟むつくりになっていた。もう一方の脚の先端にとりつけられた針は鋭い。危ないからくれぐれも注意して扱うように、と平野先生はクラス全員に厳命した。そのせいもあってか、糊(のり)やはさみや色鉛筆といった他の文房具よりおとなっぽいような感じがして、信介は気に入っていた。

宿題で使うとき以外にも、時折コンパスを家に持ち帰っては練習した。完璧な円を描くのは存外難しい。少しでも気を散らすと、ずれたりゆがんだりしてしまう。かといって、力を入れすぎてもうまくいかない。

円を描くのに集中していると、よけいな考えごとをしなくてすむのもよかった。夏休みに入っても母は帰ってこなかった。信介はノートやらチラシの裏やらに大小の円を描きまくり、ずいぶん上達した。

愛用していたそのコンパスを失くしてしまったのは、二学期がはじまってまもなくのことだ。

自宅で宿題にとりかかろうとして、コンパスが見あたらないことに気づいた。ランドセルをひっくり返しても、学習机の抽斗をのぞいても、見つからない。てっきり学校に忘れてきたのだと思い、翌朝には登校してまっさきに道具箱の中をさらったが、そこにもなかった。

手さげかばん、ロッカー、給食袋の中まで、信介はありとあらゆる場所を探し回った。近くの席の子らにたずねたり、落としものとして届いていないかと平野先生を通して用務員室に問いあわせてもらったりもした。すべて、空振りに終わった。

帰宅してから、もう一度家中を捜索した。今回ばかりは伯母にも助力をあおいだ。子ども部屋のほか、茶の間や店のほうまで見て回ったけれど、やはりない。

「困ったわね」

伯母はため息をついていたが、「そうだ」とはたと手を打って廊下に出た。信介も後に従った。

「こないだこのへんを整理したときに、見つけたのよ」

伯母は納戸を開け、ごそごそと棚の上を探った。ひらたいクッキーの缶を取り出して、花模様の描かれたふたをとる。

中には文具や雑貨が入っていた。中身を食べ終えた後で、姉が譲り受けたようだ。ペンに消しゴム、シール、メモ帳、髪どめやキーホルダーもある。そのほぼすべてに、ピンク色の猫が描かれていた。

猫のニャータンは、その何年か前に、女子の間で絶大な人気を誇っていたキャラクターである。

信介は男だし、まだ幼かったからおぼろげな印象しかないけれど、小学生の姉はニャータンに夢中だった。後から知ったところ、最盛期には中学生や高校生にまでもてはやされていたらしい。

もっとも、それから数年が経った当時は、すでに流行は下火になっていたようだ。少なくとも、信介の周りではほとんど見かけなくなっていた。

「ほうら、コンパスもあるよ」

伯母が得意げに言って、透明のケースを手にとった。

中にはピンク色のコンパスがおさめられていた。鉛筆をとめる金具のところに、大口を開けて快活に笑うニャータンの顔がくっついている。

それはお姉ちゃんの、と信介は言いかけた。だがそこで、春先のやりとりが脳裏をよぎった。母のブラウスを胸にあてた伯母の、容赦ないひとことが。

いらないから、置いていったんでしょ。

伯母が差し出したコンパスを、信介はしぶしぶ受けとった。ピンクなんて女子っぽくていやだったけれど、また同じことを言われたくなかった。置き去りにされたという意味では、なんだか同類みたいな気もしなくはなかった。

次の日、算数の時間に信介の手もとをのぞきこんできた隣席の男子に、悪気はなかったと思う。

コンパスがないと信介が騒いでいたのを思い出し、どうなったのか気になったのかもしれない。

「なにそれ。猫?」

声も体もでかい、やんちゃなお調子者だった。とっさに、信介はコンパスに手をかぶせて隠した。

「見せて、見せて」

今考えれば、身を乗り出してきた彼を責めることはできない。隠されてしまうとよけいに興味をそそられるのが人情だ。意固地にならず、「姉ちゃんのお古なんだ」と信介のほうからぼやいてみせれば、まるくおさまったかもしれない。

しかしながら、そんな機転を利かせる余裕は信介にはなかった。機転を利かせるどころか、返事をする余裕も。だから背を向けて、完全に無視した。露骨(ろこつ)に迷惑そうな顔をしていたに違いない。

それで、向こうもむきになったのだろう。腕を伸ばして、ピンク色のコンパスを信介の手からもぎとろうとした。

「変な色。女みてえ」

「うるさい」

自分でもびっくりするくらい、とげとげしい声が出た。

「なにやってるの。やめなさい」

平野先生が駆け寄ってきたときには、もう遅かった。

信介はコンパスを奪われまいと、まとわりついてくる隣の男子を力任せにひじで突き飛ばしていた。バランスをくずした彼は、椅子もろとも床に倒れた。がたんと派手な音が立ち、周りの女子が悲鳴を上げた。

その放課後、信介は先生に命じられて教室にひとり居残った。

幸いにも、信介が突き飛ばした相手にけがはなかった。いやがる信介に向こうからちょっかいをかけていたと後ろの席の子たちが証言してくれたおかげで、一方的に叱責されることもなかった。

「あのコンパスって、もしかしてお姉さんの?」

先生にたずねられ、はい、と信介はうなだれて答えた。

「自分のは、まだ見つからなくて。これ使えって、伯母さんが」

「そう」

先生は思案するようなまをおいてから、声を和らげた。

「お姉さん、ニャータンが好きなんだ?」

話の矛先がそれて、信介は少しほっとした。

「ニャータンを知ってるんですか」

「うん。高校のときに、すごくはやっててね。友達がいろんなグッズを持ってて、うらやましかったなあ」

日頃はいかにも思慮深げできまじめな平野先生が、なにやら急に子どもっぽいことを言い出したので、信介はやや面食らった。先生はおかまいなしに続けた。

「先生が子どものときは、こういうキャラクターつきの文房具は買ってもらえなくて。兄が三人もいたし、なんでもおさがりですまされてたの」

話はいよいよずれていく。

さてはお説教されるのだろうか、とぴんときた。伯母もよく「今の子は恵まれてるわ」とか「最近のひとはものを粗末にしすぎなのよ」とか、ぶつくさ言っている。戦時中はそんなぜいたくなんて言ってられなかったわよ、と。

「ニャータンの文房具はいろいろあったけど、コンパスははじめて見たわ」

もう一度見せてほしいと頼まれて、信介はランドセルからコンパスを出した。

「お姉さん、大事に使ってたのね。新品みたい」

金具にくっついたニャータンの顔を、先生は指先で愛しげになでている。わがままを言わないでありがたく使いなさい、と諭したいのだろうか。

なんとなく鼻白んでしまい、信介はつい言い返した。

「でも、置いていった」

先生が意表をつかれたように目を上げて、信介を見た。半ばやけっぱちな気持ちで信介は言い募った。

「いらないから、置いていったんだ」

顔がかっかと熱くなってきて、うつむいた。そのせいで、「そうかしら」と応えた先生の表情は見逃した。

「先生は使いたいけどな、ニャータンのコンパス」

さりげない調子で、先生はつけ加えた。

「大切だから置いていくってことも、あるんじゃないかな。失くしたり、こわしたりしないように」

信介はおずおずと顔を上げた。先生は信介と目を合わせてから、再び手もとのコンパスに視線を落とした。

「そうだ、いいこと考えた」

明るい声を上げる。

「これ、しばらく先生のコンパスととりかえっこしない？」


平野先生の提案を、信介はふたつ返事で受け入れた。

これからも算数の授業のたびに同じ目に遭わされてはたまらない。無難な色のコンパスを貸してもらえるのなら、乗らない手はなかった。

もちろん、先生の言葉をまるごと鵜呑み(うの)にするほど、信介は幼くなかった。先生が昔ニャータンを好きだったというのはうそではないのだろうが、今さら子ども向けのキャラクターグッズを使いたがるとも思えない。教え子によけいな遠慮(えんりょ)をさせないように、それらしい理由をつけてくれたのだろう。

それでも、コンパスのケースをうやうやしく両手で押しいただいた先生の、まるで宝物を扱うかのような手つきは、信介の心をほのかに明るくした。

「大事に使わせてもらうね」

といっても、先生がピンクのコンパスを使っているところを直接目にする機会はなかった。授業中、先生が黒板に円を描くときに登場するのは、鉛筆のかわりにチョークを先端にとりつけた大きなコンパスだった。

交換したコンパスがちゃんと使われていることを、先生は別の方法で信介に伝えてくれた。提出した宿題のノートが返ってくると、正答の上につけられた赤いマル印に、信介は目を走らせた。ほとんどは無造作な手描きだけれど、ごくたまに、まんまるい円がまじっている。ふたりにだけ通じる、秘密の暗号だった。

信介のほうは、学校でも家でも、先生のコンパスを使った。冬休みの間も借りっぱなしになっていた。三学期も引き続き使わせてもらうつもりだった。

ところが、そうはならなかった。

年が明けてすぐに、母と姉が家に帰ってきたのである。いなくなったときと同じく、唐突きわまりない帰還だった。

三学期の始業日、さっそく信介は平野先生にコンパスを返した。休みが終わる前に、母に新しいものを買ってもらっていた。先生はコンパスを交換しながら「ありがとう」と礼を言っただけで、事情を詮索しようとはしなかった。信介の母が家に戻ったことは、すでに耳に入っていたようだった。

なにも言おうとしないのは、平野先生だけではなかった。

家族の間でも、あの九カ月間はなかったこととして扱われた。誰も、あの口さがない伯母でさえ、母と姉が家を離れていた間のできごとを一切蒸し返さなかった。唯一の例外は、母が帰ってきた日、「ただいま」に次いで誰にともなく口にした「ごめんなさい」のひとことくらいだ。

最初のうちこそ幾分ぎくしゃくしたものの、ほどなく梅本家の日常生活は元に戻った。ひょっとしたら、完全に元通りではなかったかもしれないけれど、表面上はつつがなく回り出した。

父と母の様子も、家出の前と変わらなかった。それからおよそ半世紀もの間、けんかひとつせずに添い遂げて、今は仲よく同じ墓に眠っている。なにも知らない妻は、同居していた義理の両親のことを、仲睦まじい夫婦だとつねづね感心していた。

わたしたちもいつかはあんなふうになれるかな、と本気とも冗談ともつかない調子で言って、信介をぎょっとさせたこともある。三年前、父が息をひきとってひと月も経たないうちに母も逝ったときには、きっと離ればなれになりたくなかったのね、と娘とともに涙ぐんでいた。

「話してないんだ？」

葬儀の日、姉とたまたまふたりきりになったときに、たずねられた。

焼き場での待ち時間だった。一服しようと待合室の軒先に設けられた喫煙所に出たら、姉がいたのだ。

「うん。必要ないかなと思って」

「ま、わざわざ伝えるようなことじゃないもんね」

姉は顔をしかめ、うっとうしそうに言い捨てた。

「ほんと、思い出したくもない」

考えるより先に、「でも」と信介は言い返していた。

「姉ちゃんは連れていってもらったよね。母さんに」

姉のせいではない。今さら僻むつもりもなかった。それなのに、どことなく含みのある口ぶりになってしまった。

姉が眉をひそめた。

「なによ」

喫いさしのたばこを片手に、まじまじと弟の顔をのぞきこんでくる。

突然なにを言い出したのかといぶかられても、無理はない。大昔の話だ。気を取り直して信介が詫(わ)びようとしたら、姉はぼそりと言った。

「信介だけは置いていけって言われたのよ、お母さん」

「えっ」

信介は危うくたばこの箱を取り落としそうになった。

「梅本の家のひとたちにね。大事な男の子だから、って」

「知らなかった」

声がかすれてしまった。それきり二の句を継げずにいる弟を見やり、姉は長いため息をついた。

「わたしも、知らなかった。あんたが知らなかったってこと」

煙突からたちのぼる白い煙を見上げて、ゆるく頭を振る。

「お母さん、黙ってたんだ」

しんみりとつぶやき、姉はたばこをもみ消した。信介のほうへ向き直る。

「悪いことしたわね。ちゃんと教えてあげればよかった」

「いや。こっちこそ、ごめん」

父と息子が見捨てられたのだとばかり信介は思っていた。しかし姉の立場からすると、母と娘が追い出された、と感じられたのかもしれない。

大事な男の子は置いていけ、という言い分を裏返してみれば、大事でない女の子はくれてやる、とも聞こえる。姉は姉で、きっと傷ついていたに違いない。それなのに信介は、自分ばかりがないがしろにされたと思いこんでいた。被害者ぶっていじけていたのが恥ずかしかった。

「なんで謝るの。信ちゃんは悪くないでしょ」

姉がふっと目もとをほころばせた。幼い時分の愛称で呼ばれるのは、ずいぶんひさしぶりのことだった。

謝らないにしても、なにか言うべきことがあるはずだった。でも、うまく言葉がまとまらなかった。しかたなく、信介はあえて軽く言い返してみた。

「姉ちゃんも」

「そうよ。わたしたちはなんにも悪くない」

わかりきったことだと言わんばかりに、姉がうなずいた。子どもの頃から、勝気でおとなびた姉にこうしてお墨付きをもらえると、心強かったものだ。

「話せばよかったわね、お互いに。愚痴を言いあえたら、ちょっとはすっきりしたかも」

そうだね、と同意して、信介はたばこをくわえた。姉が自分のライターで火をつけてくれた。

「だけど、なんでまたコンパスなんか探してるの？」

しごくまっとうな妻の疑問に答えるべく、信介は小学三年生のときの話をかいつまんで語った。コンパスを失くしたこと、姉のおさがりをクラスメイトにからかわれたこと、平野先生が気を利かせて自分のコンパスを使わせてくれたこと。母の家出については、今回もふれずにすませた。

「ふうん、そんなことがあったんだ」

妻は納得顔で言った。

「それで、例のお別れ会に、そのコンパスを持っていくの？」

「いや、そういうわけでもないんだけど」

思い出したら、なんだか無性に気になってきたのだ。

先生から返してもらったニャータンのコンパスを、信介はケースごと学習机の抽斗にしまっておいた。使うわけでもなく、かといって、本来の持ち主である姉に渡そうという気にもなれなかった。抽斗を開けるたびに目に飛びこんでくる鮮やかなピンク色も、やがて見慣れた。

そうしてそのまま、ずっと入れっぱなしになっていた。

あの学習机はもうない。結婚を機に家をリフォームしたとき、古い家具をまとめて処分した。かれこれ三十年以上も前の話なのでうろ覚えだが、長年使ってきた机やたんすを空っぽにするのは予想以上に骨が折れ、げっそりしたのではなかったか。

あのとき確か、とっておきたいものだけを選りわけて、箱だか袋だかに入れておいたはずだ。

「あるとしたら、そうとう奥のほうかもね」

再び室内を見回した妻が、はっとしたように口もとに手をあてた。

「まさか、お義父さんやお義母さんのものと一緒に捨てちゃったりはしてないよね？」

両親を相次いで看とった後、妻は信介の姉と手分けして遺品を整理してくれた。義理の姉妹どうし、わりと気が合うようだ。休みなく手を動かしつつも、お喋りに花を咲かせていた。信介も一応は手伝おうとしたものの、手際が悪いと女たちから腐されて、早々にやる気を失った。取捨選択はふたりに一任し、捨てると決まったものを運び出す役を引き受けた。

「おれのものも捨てたの？」

信介が思わずたずねると、妻は自信なさげに答えた。

「多少ね。でも、コンパスは見なかった気がするけど」

「そうか」

信介は肩を落とした。自分でも意外なほど、がっかりしていた。

「だって、古いものはなるべく処分していこうってことになったじゃない」

非難されたように感じたのか、妻の表情がいっそう曇る。

「いつまでも置いといたって、どうしようもないし」

そのとおりだ。いよいよ望み薄な気がしてくる。子ども向けの古いコンパスなぞ、まさに「置いといたってどうしようもない」ものの筆頭だろう。

「まあ、いいよ」

なんだか投げやりな口調になってしまった。妻が口をとがらせる。

「よくないでしょ」

「いや、どうしても必要ってわけじゃないから。ないならないで、しょうがない」

気にしていないふうに受け流そうとしたつもりだったが、あまりうまくいかなかった。妻の眉間のしわが一段と深くなった。

「そんなに大事なものだなんて、知らなかったもの」

「だから、もういいって」

「大事なんだったら、ちゃんと大事にしまっといてくれないと」

妻は憤然（ふんぜん）と部屋を出ていった。

ひとり残された信介は、衣装ケースを椅子がわりにしてへたりこんだ。妻に非はない。任せっぱなしにしたのは信介だ。捨てる前に、本当に必要ないかどうかを確認するようにとも言われていたのに、途中からだんだん面倒になってきて、ざっと流し見する程度ですませてしまった。妻と姉が不用だと判断したのであれば、きっと正しいはずだとも思った。

それにしても、怒ることはないのに。

もっとも、信介と妻のけんかといえば、いつもおおむねこんな調子だ。信介の言動に対して妻が腹を立てる。たいていは妻に分があって、信介が謝ったり言い訳したりして場がおさまることが多い。ただ、言いあっているうちにこっちも頭に血が上ってしまうと、こじれる。

とはいえ、妻の短気も最近は少しずつましになってきたようだ。それこそ憤慨(ふんがい)されそうで本人には絶対言えないが、年齢のせいかもしれない。

ただし、妻はどんなに怒り狂っていても、まず根に持たない。なんでも、一晩おけば忘れるらしい。これまた本人には言わないものの、すばらしい長所だと信介はひそかに感謝している。

不満をためこんだあげくに黙ってぷいと出ていかれるよりは、その都度ぶつけてくれたほうがずっといい。

「ねえ、おとうさん」

肩をつかれて、信介はわれに返った。

座りこんだまま、顔だけ上げた。いつのまにか戻ってきた妻が、満面の笑みを浮かべてこちらを見下ろしていた。

「捨ててないってよ、コンパスは」

勢いこんで告げる。

「お義姉さんに電話して聞いてみたの」

両親のもの以外で処分したのは、洋服や靴の類だけだったそうだ。記憶力のいい姉がそう言いきったというなら、おそらく間違いないだろう。

「だから、きっとこの部屋のどこかにはあるはず」

「そうか」

にわかに希望がわいてきて、信介は腰を上げた。

「これ、つけて。埃がひどいから」

妻が両手に持っていたマスクの片方を信介によこした。もう一枚を自分がつけ、おもむろに宣言する。

「手伝ってあげる」

「ありがとう」

　信介は素直に礼を言った。妻は腰に手をあてがって、挑むような目つきで部屋をねめ回している。

「探しものはわたしのほうが得意だしね」

「見つかるかな」

　もしニャータンのコンパスが見つかったら、いや、たとえ見つからなかったとしても、今夜は平野先生のために献杯しようと信介は思う。

　この間、なじみの蔵元にそそのかされて買ってしまった、とっておきの純米大吟醸なんかはどうだろう。あれを開けたら、たぶん妻もつきあってくれるだろう。酒の肴に、長らく打ち明けそびれていた昔話を聞いてもらってもいい。

「見つけなきゃ」

　妻がきっぱりと言った。所狭しと置かれた荷物の狭間を器用にすり抜けて、窓辺へ歩み寄っていく。

「だって、大事なものなんでしょう?」

　勢いよくカーテンをひき、ガラスサッシも開け放つ。

　室内に薄日がさした。からりと乾いた風が吹きこんでくる。信介は腕まくりをして、山と積みあげられた段ボール箱に手をかけた。


〈つづく〉

彼女は逃げ切れなかった　第五回

ふたりは愛し合い切れなかった［前編］

西澤保彦
Nishizawa Yasuhiko

午後三時二十分。ランチタイムはとっくに過ぎ、かつ夕食の支度にとりかかるにも少し早そうな中途半端なこの時刻にわたしが帰宅すると、娘のほたるが家に居た。缶ビールを手にリビングのソファで、くつろぐというより、どんより凹んでいる面持ち。

重く澱(よど)んだ空気の圧に、帰ってきたばかりのこちらのほうが思わず「おかえり」と声をかけてしまった。「めずらしいね、こんな時間帯に。体調でも悪い？　それとも懸案が諸々かたづいた？」

「いいえ。それどころか今日未明、新しいヤマがひとつ、飛び込んできちゃったところだったりして。傍若無人にも、この慌ただしい年の瀬の折に」

　飲食業界で「ヤマ」といえば食材などの在庫切れを意味するそうだが、ほたるは現職警察官なので、これは巷間ＴＶドラマなどでお馴染みの、刑事事件を指す符丁。そして今日は十二月二十七日、火曜日。二〇二二年も残すところ、あと四日。先日のクリスマスの、高和では記録的な積雪の名残もようやく各道路や敷地からあらかた消えたところだ。

「しかもコロシ。多分どこかのローカル局が今夜辺り、報道するかも」

「殺人か。そりゃあこんなところで、だらけている場合ではないんじゃないの。善良なる市民のみなさまには平穏のうちに新年をお迎えいただけるようにしなきゃ」

「仰せのとおりなんスけど」とビールの残りを飲み干した缶を握り潰し、ソファから立ち上がる。「この数日間、まともに横になって眠れていないもので。はい。主任からお許しを得て。というか、半ば命令される恰好で。こうして一時帰宅をば」

　ほんとに激務でお疲れなのだろう。空き缶をゴミ箱に棄て、冷蔵庫の扉を開けるその動作が、普段の健康優良児の見本のような我が娘からは想像できないくらい、へろへろ頼りなく、弱々しい。「お母さんこそ。めずらしくないいっスか。夜ならともかく、こんな昼間に。普段は滅多にドレッサーから取り出しもしなさそうな、そのすてきなお召しものからして、ちょいとご近所のクリーニング店かコンビニまで、ってことでもなさそうだけど。どこかへお出かけで？」

「あー、うん。〈ぱれっとシティ〉へ」

「そんな遠出を？」市郊外に在る大型ショッピングモールだ。「あれ。でも車が表にあったけど？」と小首を傾げて新しい缶ビールを取り出すほたるの傍(かたわ)らへ歩み寄ったわたし、店名ロゴ入り包装紙にくるまれたケーキの箱を、横から冷蔵庫のなかへ差し入れた。

「おや。これは〈みんと茶房〉の」

「知ってるの」

「行ったことはあります。一応。コーヒーをいただいただけで、ケーキは未だ。って、どういう風の吹き回しなんだ。お母さんがわざわざスイーツを、とは」

「いや。自分で買ったわけではなくて。これは、なんていうか。その。本日の同行者から持たされたお土産(みやげ)、みたいな」

「これまた、おめずらしい。どなたとデートだったんですか」

「みをりと、しえり」

「は？」

　プルタブを開けようとしていた彼女の手が一瞬止まる。そんなほたるとわたしの眼が合ったタイミングの絶妙さを表す効果音よろしく、ぷしゅッと炭酸が一拍遅れで、無駄に景気よく弾けた。「いや。いやいやいや。ちょっと待ってください。え。なんですって。油布（ゆふ）さん姉妹からこれを？　買ってもらった、って言うんですか？」

　ほたるはこれまで三回ほど、油布みをりとしえりの双子姉妹と直接会っている。いずれも多忙な彼女たちの母、珠希（たまき）さんの代行でわたしがふたりに付き添う夜間外食の送り迎えの途上、たまたま帰宅途中のほたると鉢合わせするかたちだったため、最初はその場で簡単にお互いを紹介し合って終わり。二回目以降も、ふたことみこと、短く言葉を交わしただけの、油布姉妹と面識を一応は得ているという程度ではあるが。

　ほたるとしては、可愛らしいご近所さんが出来て大歓迎であろう。早期退職以降、陰鬱に自宅で引き籠（こ）もり気味の母親と親しく交流を持ってくれる、そんな奇特なひとたちが身近に、しかも自宅のすぐ隣りのマンションに住んでいるとは。なんと、ありがたい。そんな感謝の念でいっぱいにちがいない。

　みをりとしえりが小学生であることも、ほたるにとってはポイントが高いのかも。アルコールのご相伴（しょうばん）ができない年齢だから、彼女たちふたりと行動をともにする限りわたしの酒量もある程度は抑えられると、ひょっとしたら考えているかもしれない。それが如何（いか）に甘く虚（むな）しい期待であるかはまあ、これからすぐに判明するわけだが。

「って、逆だそりゃ。どう考えても。彼女たちとお出かけするのは全然いいとして。別れ際にお菓子かなにか、お土産を買って、おふたりに持たせてあげなきゃいけない立場なのはお母さんのほうでしょ」

「まったくもって、おっしゃるとおり。なんだけど。これには話せば長い、ながーい事情が。あ、ほたる。食事は？」

「実は昨夜から、なんにもお腹に入れていないので。体力も気力もけっこう限界」

「詳しい話は後回しにして。とりあえずちゃちゃちゃっと、なにかつくるか。相当お疲れのようだから、がっつりお肉でも」

「うわーん。ありがとうございますう。神ですか、お母さまあ」

一旦寝室へ引っ込んで部屋着に着替えたわたしは虎の子のステーキ用サーロインを常温に戻し、たっぷりのオリーヴオイルでガーリックチップを大量につくる。

「おお、なんと破壊力抜群の。天上の調べの如く、油の弾けし、この妙なる響きよ。ああ。いーい香り」などとミュージカル俳優よろしく陶然と軽やかなステップを踏む我が娘の即興鼻唄をＢＧＭに。焼いたお肉をアルミホイルに巻いて休ませているあいだ、同じフライパンで冷凍ご飯をこれまた大量に炒める。

「ぃよっしゃあ。これ全部、あたしひとり分ってことで。うはは。いいんですよね。ね。うわはい。いっただきまあっす。んで。その話せば長い事情、ってのは」

大皿ひとつには入り切らず、別の丼にも分けて盛られた推定三人前はありそうな特大ガーリックステーキ・ライスを、まるで盗賊に奪られちゃならじとばかりに両腕で囲い込んで、がつがつ喰らいつく。「いったいぜんたいどういうわけで、ご自身の孫のような小学生の女の子たちに、ケーキなんぞを買ってもらうことになったんです？」

「なったんです？」と発音すべき語尾が「らっはっんれふ？」とくぐもり、めいっぱい頬張ったほたるの口の端っこからお米のかけらが、ぴゅッと豆鉄砲みたく飛び出す。三十も過ぎたおとなが、ものを食べながら喋るな、とは武士の情けで言わないでおく。

「そもそもはガシャガシャ。じゃなくて、えと。なんだっけ。こんな円い容器に入ったグッズを自動販売機で買う、あの玩具」

「カプセルトイのことかな。ならガチャガチャです」よっぽどお肉に夢中になっているのか、彼女と向かい合ってテーブルにつくわたしの手のなかの、ハイボールのグラスに関して普段のように辛辣なコメントなどは特に無し。「ガシャポンとか他の呼び方も、いろいろあるようだけど」

「実はわたしもいま、しえりからプレゼントされて使っている、ＬＩＮＥスタンプの某キャラクター。えと。こういうの」

　自分のスマホを取り出すと、油布姉妹とのグループLINEの画面を開いた。二頭身くらいに丸っこくデフォルメされたコミカルなペンギンが、にっこり笑って諸手を挙げている『OK』スタンプを指し示す。

「お母さんがこれを？　え。使っているんですか？　ほええ。かつて苗字の纐纈にかけて鋼鉄の女とも恐れられた鬼刑事に、こーんなお茶目な推しキャラがいるとは。いやはや。お母さんの現役時代をご存じの主任や筈尾さんがもしもこれを見たりしたら、どうなっちゃうんだ。膝から崩れ落ちて絶句か。はたまた転げ回って大爆笑か。さぞや隔世の感に打ちのめされることでありましょうぞ」

　なにを大袈裟な、と苦笑したものの、そういえばこのペンギンのスタンプをほたるとのLINEで使ったことは未だ一度もない。意識的に避けているわけではない、とは思うのだが。うーん。ひょっとして娘に知られるのはバツが悪い、とか。なにかしら気後れみたいな感情でもあるのか、わたし？

「これも老境の域ってやつかもね。ってな話は措いといて。このキャラクターをフィギュア化したシリーズ玩具がガチャガチャにあって。いやもちろん、わたしはよく知らないんだが。あるんだってさ。シリーズっていうくらいだから、表情はもとより色やサイズちがいで十何種類も。ただその同じキャラのフィギュアでもファンに人気の高いものと、それほどでもないものがあるけど、シリーズのなかからお気に入りタイプをピンポイントではゲットできないようになっている」

「商品は自販機でランダムに出てくるから。実際にハンドルを回して、買って、カプセルを開けてみるまではなにが、なかに入っているのか判らない」

「購買者たちはお目当てのものを引き当てるまで、ときに何千円、何万円とお金を注ぎ込んじゃったりするんだってね」

「しかも新商品が月毎に何百種類も入れ代わる。再販されるアイテムなんて片手の指で数えられるほどしか無いそうなので。特定のグッズのファンはもう、たいへん。基本的に売り切れ御免の世界だから、買い逃しのないよう、際限なくハンドルを回し続けなきゃいけないという、金喰い虫な仕組み」

「お金の問題もあるけど。そういうシステムだと、買う本人がさほど欲しくないタイプのものまで手許にいっぱい溜まってしまったりするわけでしょ。どうするのそれ。いやもちろんひとそれぞれは、ひとそれぞれ。別にこんなのは要らないんだけどなあと思いつつも律儀に全部飾っておくひとも居れば、極端な話、邪魔臭いからと棄てちゃうひとも居るかもしれない。けれど、いちばん無難なのは、贈呈すること。誰か、それを喜んでくれそうな友人なり、知人なりに」

「トレードという方法もある。自分が欲しいアイテムと交換してもらえる相手をうまく見つけられれば、だけど」

「なるほど。でもこの娘は無償で進呈する選択をした。仮にA子さんとしておくね。しえりと同じクラスの小学五年生の女の子で。くだんのペンギンキャラのフィギュアが欲しくて〈ぱれっとシティ〉へ行きました。これまた寡聞（かぶん）にして知らなかったんだが、ガチャガチャの専門店なんてものが在るんだね」

「以前はやはりオタク御用達の趣味というイメージが強かったせいか、ゲームセンター内に設置されるのが主流だった。それが現在アニメキャラだけでなく、猫などのペット系とか商品もヴァラエティ豊かになってきて、女性の利用者も増えた。そういうひとたちって多彩なガチャガチャはやりたいんだけど、ゲームセンターには行きたくない、という向きも少なくない。なので千台近くもの販売機を一カ所に取り揃える大手が、繁華街や大型モールなどで躍進しているってわけです」

　ずいぶんいろいろ詳しいのは職業柄ゆえ、広く浅くを心がける雑学知識の賜物（たまもの）か。それとも実は、ほたる自身、ガチャガチャに興味があったりするからなのか。

「その専門店でA子さんはくだんのペンギンキャラの玩具を五個、買った。でもそのうち一個は色が、別の一個はサイズが、それぞれお気に召さなかった。加えてもう一個は、お気に入りのアイテムではあったけれど、すでに持っているものと重複していた」

「ふむふむ。A子さんの釣果は結局、二個に留まった、と」

「自分は要らない残りの三個を彼女は、しえりにあげた。しえりちゃんならこのキャラ大好きだし。色とかサイズのこだわりもあんまり無さそうだから、きっと喜んでくれるはずと勝手に決めつけただけだったんだけど。これが大正解。しえりはめっちゃ喜んで、おうちへ持ってかえり、自分の勉強机に飾った画像をA子さんへ送ったりした。それが今年の五月頃の出来事で、このエピソードは瞬く間に同級生たちのあいだで拡散。その過程で話が微妙に捩じ曲がり、どんどん大袈裟に膨らんでいった。曰く、しえりちゃんてガチャガチャのフィギュアならいくらダブろうとも気にせず無節操に、なんでもかんでも蒐めまくっているらしいよ、とかって」

「ほんとは、そのペンギンのキャラが好きなだけ、なのに」

「んで、ここにもうひとり。まるで呼吸をするかの如くガチャガチャのハンドルを回し続けた挙げ句に某アニメキャラ玩具が重複しまくって持て余しているという、Bくんて子がおりました。その男の子がしえりの噂を聞きつけ、試しにとばかりに彼女に、余分なやつを引き取ってもらえないか、と打診した。しかも十数個ほども。いや、数十個かな。正確なところは不明なれど、通常の感覚ならば大迷惑で断固拒否の一択レベル。しかも自分は本来さして興味のないはずのキャラのものだった、にもかかわらず、しえりはなんとも、あっけらかんと。うん、いいよ、どうもありがとうと快く。一個も余すことなく全部。さて。ここから事態は、いささか信じられないような展開となってゆくんだが」

「そこに新たにC子ちゃんなる同級生が登場した、とか。あ。先走っちゃったかな」

「Cどころか、なんとなんと、ついにはZくんまで行っちまったんだと」

「総数二十六名も？　次から次へと？」

「さすがにその数字はレトリックだけど。それだけ大人数の子たちがこの七ヶ月間、我も我もと、しえり詣で。彼女が玩具のタイプや重複を問わず、全て無条件で引き取ってくれるという、かなりフレームアップされた風聞に乗っかって。いやまあ、しえりがなんであろうとも分け隔てなく喜んで受け入れる性格だというのは、ほんとのことなんだが」

「来るものは全て拒まず。大物だあ」

「結果しえりのもとには大量の、色もサイズも統一性を欠いた種々雑多なフィギュアが。集まるも集まったり、およそ百個以上。マニアならさほど驚くべき数字じゃないかもしれないけれど、そもそもしえりはガチャガチャなんかやったことのない娘なんだよ。フツーなら辟易して当然なのに、彼女はあくまでも無邪気に喜んで。それらを律儀に、全て自分の勉強机周辺に並べ、飾っていた」

「聞けば聞くほど、なんて良い娘なんだ、しえりちゃん、って思っちゃう。なにか彼女に買ってあげたくなってきた」

「ところがところが。同室の姉、みをりのパーソナルスペースをも浸食せんばかりに増殖していたその一大コレクションを昨夜、母親の珠希さんが、とうとう見つけてしまったものだから、さあたいへん」

「とうとう、って」と、ほたるが小首を傾げたのは珠希さんとは未だ直接会ったことがないためイメージが湧かず、いまひとつぴんとこない、という側面もあるのかも。「昨夜の昨夜まで気づいていなかったんですか。マンションでいっしょに暮らしていて？」

「普段から娘たちにはあまり干渉しないのかな。部屋の掃除やかたづけもみをりのほうが母親より、よっぽど手際よく、ぱぱぱッとやっちゃうらしいし。そこらへんの詳しい経緯はともかく。見渡す限りのカプセルトイの山に珠希さん、びっくり仰天。そして思わず次女を叱りつけたわけだ。しえり、これはいったいなにごと？ママに隠れてこんな、とんでもない無駄遣いをしたりして、と」

「なるほど。しえりちゃんがそれらを全部、自分で買ったと、かんちがいしたんだ」

「なにしろ一個あたり百円から五百円はかかる玩具が百個以上でしょ。自分が与えた分のみならず、実家のお祖父ちゃんお祖母ちゃんからもらったお小遣いも全て注ぎ込んじゃったんだと。珠希さんがそう思い込んだとしてもむりはない。むりはないけど、しえりにしてみれば、とんだ濡れ衣で。ちがうよ、これ全部、学校のお友だちからもらったものなんだってば、と。自分は一円たりとも遣っていません、と弁明にこれ努めるんだけど。珠希さんはいっこうに信じようとしない」

「まあ、数が数ですからのう。もらったんだと、いくら主張されても、いや、あり得へんやろ、こんな大量に。どこの誰がくれるちうねん、とかって。単独犯では絶対に不可能と断じる先入観を逆手に取って実は複数犯でした、というミステリのトリックみたい」

「いくら無実を訴えても、浅はかな娘だと頑なに決めつけてくる母親に、しえりもついに爆発して大喧嘩。もうママなんて大ッ嫌い、親子の縁を切ってやる、と泣きじゃくりながら姉のみをりに宣言したんだそうな。さて。ここからが、やっと本題なんだけど」

「とはまたずいぶんと長い前振りで」

「家出してやるッと息巻く妹を、みをりは懇々と諭したんだそうな。曰く、あのね、しえり。親子の縁を切ってやるのはいいとして、このまま、ただ家を出てゆくだけじゃ不充分だよ。その前にきっちりと、おとしまえをつけておかなきゃ、って」

「え。思い留まりなさい、じゃなくて？　まさかの煽りまくり？　しかも、おとしまえをつける、って。なんでしょうか、剣呑な」

「みをりは妹にこう説いた。よーく考えてごらん。ここで冤罪のまま敵前逃亡したところでアンタが自ら非を認めた、ってオチにしかならないんだよ、と。小学生同士の会話だから冤罪とか敵前逃亡とか、そういうチョイスの語彙ではなかったかもしれないけど、あくまでも大意で。ともかくみをりは妹を、たしなめるんじゃなくて、焚きつけたわけだ。実際にはやってもいない嫌疑をかけられっぱなしなんて、ただの叱られ損じゃん。喧嘩し損で、怒り損で、ギャン泣き損。そんないっぽう的に自分が負けのかたちで幕引きをさせられて、しえりはそれでいいの？　絶対よくないよね？　なら疑いのかけられ損にならないよう、実行しておかなきゃ、って」

「は。じ、実行？」

「要するに、いま持っているお金、貯金も含めて全部、ぱーっと遣い切っちゃいなさい。そしたら、無駄遣いして悪い娘だとママに責められたことは、少なくとも根も葉もない濡れ衣ってわけではなくなるでしょ？　散財しちゃったっていう厳然たる事実がそこに出来するんだから。ね。しえりだってもっと、すっきり納得できるでしょ？　と」

「なるほど。不当に叱責を受けたわけではなく、相応の懲罰だった、というかたちに変換してしまえる、と。なんとまあ、おとな顔負けな。理屈は理屈ですけどね、たしかに」

三人前のガーリックステーキ・ライスを早々にたいらげ、立ち上がったほたる。流しへ持ってゆくべく手に取った空の大皿と丼は、まるで巨大な熊かなにかが隅々まで舐め取ったかの如くきれい。「なんだっけ。そういう屁理屈、ありますよね、聖書にも」

「セイショ？」

「あ。じゃなくって。誰かに聞いたんだ。聖書の戒めの言葉かなにかを皮肉った、パロディだとか。えと。なんだったっけな」

「ゆっくり憶（おも）い出してちょうだい。煽りまくられたしえりだけど、正直ぴんとこなかったらしい。みをちゃんてば長々となんの演説をぶってんのか、むずかしくって。あたしゃよく判んないよ、みたいな。けれど明日、つまり今日のことね。明日の朝イチで〈ぱれっとシティ〉へ突撃だよッと意気軒昂な、みをりの勢いに抗す術も無く。彼女たちから昨夜、わたしへＬＩＮＥが来たんだ。もしも明日お時間があるようでしたら、あたしたちの買物に付き合ってもらえませんか、って」

「なんでそこで、お母さんにお声が？」

「がんがん買いまくるよッと、みをりがあまりにもヒートアップしているものだから、当のしえりは逆にビビッちゃっているんだ。ただでさえママのご機嫌を損ねているのに、この上、幼い姉妹ふたりだけでショッピングモールへ行ったなんて知られたら、また大目玉を喰らうんじゃないかと。普段なら多分なんの問題もないお出かけであろうとも、しえりとしてはとにかく、よけいなリスクを冒(おか)したくない。なので保護者代理を要請するべく、わたしに声をかけてきた次第」

「なるほどなるほど。纐纈さんなら普段から〈KUSHIMOTO〉へのアテンドでもお世話になっているから、珠希さんの信頼も篤(あつ)い。同伴者としては打ってつけだと」

「で。ご指名を受けたわたしは本日、ふたりといっしょに路線バスに乗って」

「さあ、そこだ。お母さんより先に帰ってきたのに、車があったから。あれれ、とは思っていたんだけど。せっかくお母さんが同行するというのになんで、わざわざバスで」

「いや、その。みをりが、ね。運転すると、ことさん、お酒が飲めなくなっちゃいますから、どうぞおかまいなく、と」

「うわ。ダメなおとながここに居る。まあ、そんなことだろうとは思っていましたが。やれやれ。小学生に気を遣わせちゃって」

「いっしょに来てくれるだけでいいんです、とのことだったので。お言葉に甘えまして。はい。いよいよモール内の一大カプセルトイ専門店へと、生まれて初めて足を踏み入れたわけですが。さあ、ここで大問題が発生。しかも、おい、いまさらそこかいな的な」

「そもそも、しえりちゃんが自分で買いたいガシャポンなんて無かった、と」

「あんた、先読み。それともあのとき、あそこに居たんだったりして。なにかヒントになるようなことでも言ったっけ、わたし」

「ヒントもなにも」ちろりと冷蔵庫のほうを意味ありげに一瞥してみせる。「あれを買ってもらった、ってことは。ね？」

「至極当然の帰結ってか。しえりは友だちからもらったものはありがたく、なんでも素直に喜んで楽しめる。けれどガチャガチャを自分ではやらない。それはシンプルに、わざわざ自分でお金を出してまで欲しいと思うようなアイテムなんて無かったから。って。いやいやいや、だったらもっと早くに、だね。少なくとも〈ぱれっとシティ〉へ行く前までには気づけよ、って話なんだけど」

　ほたるはくすくす笑って、冷蔵庫の扉を指で突っつく。「お土産のケーキ、いただいちゃってもいいっスか」

「どうぞどうぞ。コーヒー淹れるか」空になったグラスを持って、キッチンへ。

「さて、そこで方針転換を迫られた我が一行だが。今回は散財すること自体が目的なんだから。カプセルトイに拘泥する必要は別にない。好きなものを好きなだけ買っちゃえば、それで済む。なのに、これがなかなか決められない。もちろん欲しいものはたくさんある。ぬいぐるみとか、ヘアアクセとか、最新式タブレットとか。だけど、しえりのおめがねに叶ったものに限って、どれもこれも微妙に、もしくは格段に予算オーバーなんだな」

「で。お悩みの末に、ここはひとつ無難に、消えもので手打ちしておくか、との結論に落ち着く」ほたるは箱から取り出したモンブランを皿に載せ、テーブルへ戻った。「適当にお食事した後、カフェに寄ってケーキのテイクアウトでも、という王道コースで」

「そんな安易かつ性急にまとめられるのは、こちとら不本意なくらい、揉めたんだよ。あーでもない、こーでもないと延々。あのだだっぴろいモール内を散々、歩き回って。当初わたしは静観するつもりでいたんだけど。いい加減、疲れちゃって。僭越ながら、あれこれ提案してみました。以前しえりが『ミニオンズ』が好きと言っていたのを憶い出して、ＤＶＤなんてどう？　とか。そしたら、みをりからシビアなひとことこと。ことさん、いま映画というコンテンツをＤＶＤで観る文化が残っている国は日本だけですよ、って。しれっと言い放たれて、正直びっくりしちゃった。ねえねえ、ほんとなの、それ？」

「それだけ時代の趨勢はネット配信ですよ、ってほどの意味だろうけど。日本だけ、というのは、さすがにね。どうなんでしょ」

「そもそも油布家でテレビという家電の利用頻度がいちばん高いのは、お母さんの珠希さんだそうだから。DVDなんか買ってもソフトによっては、へたしたらママに利する恰好になりかねない。今回の一件の経緯に鑑みると、しえりとしてそれは癪過ぎる、って。いずれにしろ没。じゃあシネコンで映画でも観ようか、とも提案してみたんだけど。これもあいにく、ふたりの興味を惹くようなタイトルが掛かっていない。なので結局、先刻のご指摘のとおり、ひとつ豪勢なランチを、という手打ちと相成りました」

「ただどうも、豪勢なランチという主旨から〈みんと茶房〉という店名は連想しにくい、と思うのですが。うーん、と。サンドイッチくらいはあったっけ、あそこ」

「食事のほうはイタリアンに入ったの。店名を忘れちゃったけど。ピザが食べたい、とのしえりのリクエストに従って。マルゲリータとか。あとポモドーロとか、生ハムのサラダとか。定番をひととおり。みんなでお腹いっぱい、いただきました」

　湯気の立ち昇るコーヒーカップをほたるの前に、そしてハイボールのお代わりを自分の前にそれぞれ置きながら、わたしもテーブルに戻る。「デザートはティラミスとアフォガット。で。お支払いはもちろん、わたしがしました。お財布を出そうとするしえりを押し留めて。これは譲れないでしょ。なにしろ姉妹ふたり分の食事代よりも、わたしがいただいた生ビールやらワインやらの料金のほうが遥かに高価なんだし」

「小学生のお出かけに保護者代理としての同伴という己れの立場もわきまえず痛飲とは、案の定というかなんというか、予定調和的にもほどがある展開なのはさて措き。そりゃもちろんそこで、もしもしえりちゃんに払わせちゃったりしていたらお母さん、あなた、その時点で終わっている、って話です」

「あのね、しえり。ここはわたしにご馳走してくれた、ということにして。その分、自分がほんとに欲しいもののために貯金しておきなさい、と。そう言い聞かせて。でも彼女は彼女で。ことさんには実際にお時間をいただいてしまったんだから、なにか別にお礼をさせてください、って。気を遣わなくていいといくら言っても、そう簡単には引き退がってくれない。ちょっとした膠着状態のちょうどそのとき、ケーキのテイクアウトができるカフェの前を通りかかったから。じゃあわたし本人にじゃなくて娘への手土産でも買っていただこうかな、という折衷案で、なんとか妥協してもらった。生菓子なら、それほどいっぺんに何十個も買うなんてことも普通はないから、無難な金額に収められそうだし」

「あたしがこんな豪華な糖分補給をさせていただけるのも、本日のみなさまのその紆余曲折の果ての恩恵ってわけですか」

「終わり良ければ全て良し。絶対ママとは母娘の縁を切ってやるッ、てあんなに拗ねまくっていたしえりも、すっかり憑きものが落ちたのか、さっきマンションの前で別れたときは、いつものようにご機嫌、にっこにこ」

「みをりちゃんも策士ですね。普通に妹をなだめても怒りを鎮められない、と悟っているから。逆に焚きつけることで、しえりちゃん自ら冷静になるように持っていったんだ」

「おとな顔負けって、さっき言ってたけど。そのとおり。頭のいい娘だ、ほんとに」

「いやあ、がっつりお肉をいただいた後のケーキとコーヒーはとりわけ最高っス。なんのこっちゃと、わけが判らず、どんより凹んでいたのが一気に生き返れました」

「未明に飛び込んできたっていう事件のこと？　けっこう手こずりそうな感触？」

「いや、あたしは未だその件にさわらせてもらっていないんですが。ちょいと個人的に、なんじゃそりゃ的な出来事があったもんで。ただでさえ他の仕事で疲弊していたのが、よけいに、どッと来た感じ」

ほたるはなんとも意味ありげな上眼遣い。ここまで長々とお母さんの太平楽なお喋りに付き合ってあげたんだから、さあて今度はこちらの話を、じっくり腰を据えて聞いてもらいますよ、との言外の含みだろう。

このところの彼女は明らかに、自分が在宅時は意識して母娘の会話を増やそうとしている。わたしが丸四年に及ぶ老父介護から解放された反動で、すっかり虚脱状態に堕してしまっているからだ。再就職しようともせず、怠惰で酒浸りな日々のいわゆる燃え尽き症候群の母親に少しでも喝というか、気合いを入れたいのだろう。彼女が現在かかわっている事件について、差し障りのない範囲内でわたしに話して聞かせることによって、錆び付きかかっている退職刑事の脳味噌の活性化を試みてくれているわけだ。

が。それにしても。今日のほたるの表情は普段よりも若干、複雑そうに見えるけど。気のせいかな。「昨夜というか、日付としては今日の午前一時頃。男の声で携帯から通報があったそうです。いまさっき、女のひとを刺してしまった。すぐに来て欲しいと」

言われた通り警官たちは、板羽町に在る古ぼけた木造アパート〈ことだま荘〉の一階、一〇五号室へ駈けつける。「部屋に居たのはウキス、ケイシン。苗字の漢字はフロートの浮くに、必須の須と書いて、浮須」

下の名前は啓発の啓に心と書きます、と続ける。一瞬、ん？　と「啓心」なる字面になにか引っかかりを覚えた。が、このときはまだ深掘りするには至らず。

「年齢は七十一歳。自称無職。ふさふさの白髪に、たっぷりの口髭。こざっぱりとした服装の中肉中背で。例えば燕尾服に蝶ネクタイでも着けさせたりしたらモノクロのドキュメンタリー番組にでも登場していそうな、大正時代の旧財閥の総帥っぽい感じ」

「やたらに具体的な描写のわりには判ったような、いまいちよく判らないような。ぱっと見、やんごとなきイメージってことかな。ほたるも直接、会っているの？」

「それはもう直々のご指名でしたので」

「は？」

「警官たちがアパートの部屋のキッチンへ上がってみると、そこには黒っぽいパンツスーツ姿の女性が倒れていた」

怪訝そうに鼻を鳴らすわたしにかまわず、ほたるは続ける。「女性の胸から、刃物の柄らしきものが突き出ている。上着の前をはだけた部分から覗く白いカッターシャツは真っ赤に染まり、床にも血溜まりが出来ている。女性はすぐに病院へ搬送されたものの、死亡が確認された」

「死因は」

「失血によるショック死。いっぽう自分が女性を刺した、と供述する浮須啓心はその場で逮捕されたんですが。ことの経緯を問い質されても、どうもいろいろ要領を得ない。被害者を刺殺したのが自分であることはまちがいないと言い張るものの、では彼女はいったいどこの誰なのか、と訊かれても答えられないんです。ただただ、彼女は知人だ、とくり返すばかりで。具体的な名前が出てこない。どういう経緯で刃傷沙汰になったのかという肝心の点にしても、些細な感情的いきちがいで諍いになってしまっただけ、の一点張り。さっきも言ったように、あたしは未だこの件の取り調べには直接かかわっていないので。すべて伝聞なんですが」

それにしてはずいぶんと手を焼かされている雰囲気がよく伝わってくるな、とか思っていたら。「そのうち、この浮須啓心というひと、変なことを言い出した。曰く、纐纈という刑事さんは、まだおられますか？　と」

「……へ？」

「女性の刑事さんだが、もしもまだお勤めのようでしたら、彼女とお話をさせていただけるとありがたい、と」

意表を衝かれる余り、グラスの縁が唇に触れた姿勢で全身が、たっぷり数秒間も停止してしまった。「……で、ほたるにお呼びがかかったの？　取り調べ室のほうへと？」

「こちらはこちらでいろいろ取り紛れているなか、むりして馳せ参じてみた。そしたら当の浮須啓心はあたしの顔を見るなり、きょとーん。かと思うや、苦笑い。いや、せっかくご足労いただいたのにもうしわけないが、この方ではありません。自分の知っている纐纈さんはもっとご年配の女性のはずで云々」

「年配の女で悪うござんした」

「取り調べのお役に立てそうにはなかったので、あたしは早々と中座させていただいたんだけど。ひょっとしたら古都乃さんに近々お話を伺いにいったほうがいいかもしれない、と筈尾さんは言っていました。どうですか、お母さん。なにかお心当たりは？」

「さて。長年、仕事上なんらかのかたちでかかわったことのある名前は、それこそ星の数ほどだし。とっさにはなんとも言えないんだが。うーん。ウキス、か。浮須。どうも聞き覚えは無いような。あ、まてよ。でも下の名前。ケイシンって。啓発の啓に心って書くって、そういえば……」

　優等生の学級委員長タイプの男の子がそのままおとなになったかのような、立派な口髭が微妙にアンバランスな童顔のイメージがふと浮かんでくる。「そういえばあのひとは。そうだ、たしかケイシンとか。いや、でも。苗字のほうが全然ちがっていたような」

「何者です」

「あれは何年前だったっけ。当時、たしか県会議員で。県議会の議長だか副議長だかの役職に就いていたひと、だったような」

「調べてみますか」と、ほたるは自分のスマホを手に取った。「えーと。高和県議会のホームページは、っと」

「昔の議員名簿なんて、載ってるの？」

「さすがに過去全員の分までは無いみたいだけど。県議会の歴代の議長と副議長の一覧はありますね。ん。これかな？」

差し出されたスマホの画面を覗き込む。歴代の副議長一覧のなかに『翁長啓心』という名前がある。所属会派は『ネオ県友倶楽部』で、就任年月日は『平成十六年三月』となっている。翌年三月から副議長の項目は別の人物の名前に変わっているので、任期は一年限りだったということのようだ。

「平成十六年だから、二〇〇四年。えッ。十八年も前？　そんな昔の名前、逆によく憶えていたな、わたし」

「なんで苗字がちがうんだろ。いや、もちろん、この翁長啓心氏が問題の浮須啓心と同一人物だとして、ですが」

「そういえば婿養子だとか言ってたっけ。代々地方議員の家なのに、子どもの誰も地盤を継いでくれなくて困っていたら、離婚したての次女だか三女だかの新しい彼氏が政治家志望で。親族一同にも大いに見込まれて婿入りした、とか。そんな話だったような」

「それがくだんの浮須啓心だとしたら、一旦は翁長啓心になっていたのが、現在は旧姓に戻ったってことですかね」

「おそらく。翁長家には居づらくなったんでしょう、きっと。妻が亡くなった上に、その死に方が問題だったから」

「それが十八年前の、現役時代のお母さんが捜査官という立場で、当時の翁長啓心にかかわった件？」

「多分。けっこう人間関係が複雑な事件だった。問題の副議長の妻が殺害されたんだが、犯人はその翁長啓心の後援会の会長で、なおかつ彼の実の息子だった……という」

「ん。あれ？　そのくだり、なんだか聞き覚えがあるような。あ、そうだ。憶い出した。たしか被害者の女性が犯人の歳下の男と道ならぬ関係に陥って。情痴のもつれの果てに、とかって経緯じゃなかったですか」

「ほたるは当時、小学生だっけ。そんな煽情的な事件に興味があったとは早熟な」

「娘の年齢をまちがえないでください。もう中学生になっていました。最初はたしか、くだんの副議長が自首してきたんですよね。自宅で妻を殺めてしまった、と。感情的ないきちがいから諍いになり、衝動的に彼女を殴って、首を絞めた、と言うんだけど。しかし彼のその供述と、実際の現場の状況とには不自然な齟齬が幾つも見受けられて。結果的に殺害の第一現場は自宅の翁長邸ではなく、おまけに犯人も別にいたことが判明する」

「供述と現場の齟齬、って。え。そんな細部に至るまで報道されていたっけ」

「なにを異なことを。あたしは全部これ、お母さんから聞いたんですよ」

「うそ」……全然憶えていない、と軽くパニック。え。わたしが？　自分が捜査に携わった事件について、当時中学生だったほたるにそれほど、こと細かに？

「もちろん大筋で。要所ようしょで適当に、ぼかしていたとは思いますけど」

そういえば差し障りのない範囲内でと、帰宅する度に話して聞かせていたような気もする。我ながらどういうつもりだったのか、記憶がすっぽり抜け落ちているけれど。口頭でアウトプットすることによって己れの思考の渋滞を整理しよう、とでも試みたのか。

「妻を殺めたのは自分だと翁長啓心は主張した。しかし遺体が発見された自宅にそんな痕跡はまったく無かった上、被害者を殴打した凶器にしても全然別の場所から持ち込まれたものだ、と判明。実際に翁長木綿子を手にかけたのは啓心ではなく、彼の後援会会長である大久利威雄（おおくりたけお）だった」

人間の記憶とは奇妙なものだ。がんばって憶い出そうとしていたわけでもないのに、ふいに「翁長木綿子」や「大久利威雄」といったフルネームが、するりと数珠（じゅず）繋ぎの如く揃（そろ）って浮かんできて、我ながら戸惑（とまど）う。

「つまり翁長啓心はその後援会会長の男を庇おうとしていた。それは、さっきもちらっと話に出たように、大久利威雄が彼の実の息子だったから、なんですよね」

「うん。啓心は学生時代に同学年の彼女と、いわゆる授かり婚をして。すぐに離婚するんだが、そのときに生まれたのが威雄だった。元妻が親権を持ち、息子は成人するまで実父とは一度も会ったことがなかったとか。そんな人物が、どういう経緯で翁長啓心の後援会を取り仕切ることになったかというと。どうやら大久利威雄自身が、いずれは県政、国政を問わず政界へと打って出たいと切望していたから。その熱意に母親の大久利、えと。下の名前をど忘れしたけど、ともかく元妻が絆（ほだ）されるかたちで、啓心に協力を要請したらしい。仮にもあなたの息子なんだから、なにかできることをしてやってくれ、と」

「政治家になるための修業、というと例えば代議士の秘書を務めるとか。そんな定番コースが真っ先に思い浮かぶけど。特定の議員の後援会に携わるって、それでなにか将来に備えての勉強になったりするのかな。よく知らないけど。まあいろいろ経験しておこう、って心づもりだったのかも」

「その大久利威雄が、いったいどうして実父の後妻である翁長木綿子を手にかけるに至ったのか。その原因が、さっきもちらっと触れた情痴のもつれで、ふたりは不義の関係に陥っていたという。威雄は当時三十そこそこ。翁長木綿子とは年齢がひと廻り以上ちがうにもかかわらず、どういう経緯でそこまで親密になったのか。威雄本人によるとこれが、当初は単なる本命への当てつけのつもりで、とかなんとか。どうもよく判らない禅問答のような答えが返ってきて」

「そっか。憶い出した。さっきの聖書云々の話。あれも、お母さんから聞いたんだ」

「え。セイショ？　って」

「本人曰く。大久利威雄にとって翁長木綿子は単に実父の再婚相手に過ぎず、それ以上でもそれ以下でもなかった。もちろん自分が後援会を運営する議員先生の妻なので相応に丁重に接しなければならないが、私的に交流を持とうとは思わないし、ましてやひとりの女性としての興味なんか無かった。ただ威雄は実は、木綿子の娘のほうには密かに恋心を抱いていた、と。彼女は木綿子が前夫とのあいだにもうけた連れ子で、啓心とは血縁関係がない。たしか当時、まだ高校生で。翁長明穂（あきほ）とかって名前じゃなかったかな」

「あんたも、よく憶えているね。そうだ。たしか、そんな話だった」

「ところが、あろうことかその明穂から、威雄は謂われなき糾弾を受ける。あなた、パパの後援会会長という立場を悪用してママに言い寄り、浮気してるでしょ……って」

「あらぬ嫌疑をかけられた威雄は怒髪天を衝いて。木綿子のような年増に欲情する男だと決めつけられるのも不本意なら、自分が心底懸想している娘からそんなひどい誤解を受けるのは堪えられなかった。濡れ衣を晴らそうと躍起になったものの、思春期の明穂は思い込みの激しい性格も相俟って、聞く耳をまったく持ってくれない。そこで威雄は半ば自棄気味に、どうせ疑われてしまうのならばいっそのこと、実行してしまえ、と」

「旧約聖書の箴言でしたっけ。汝、姦淫すべからず、という。当然といえば当然すぎる戒めだけど、これが新約聖書の福音書へ移行すると、実際には手を下していなかろうとダメですよ、となる。情欲を抱いて女性を見る者はそれだけですでに姦淫を犯したのと同じなんですから、と。実行しても、していなくても結局は同じ罪に問われる。そんな厳し過ぎる戒律を茶化して、それならいっそ、やっといたほうがマシじゃんか、って。そんな自棄っぱちな屁理屈で威雄は木綿子を誘惑した。もちろん本気ではなかったし、ただの遊びどころか、翁長明穂に対する子どもじみた当てつけ以外のなにものでもなかったはず、なのに。逢瀬を重ねているうちに、泥沼に嵌まるように木綿子に夢中になってしまった、と。ざっとそういう話でしたね」

「そこまで微に入り細を穿って、ほたるに話していたのか、わたし。すっかり忘れてた。それにしても、やれやれ、だ。やっていなくてもどうせ叱られるのなら、実際にやっておいたほうがマシ、って。まんま今回の、しえりのガチャガチャと同レベルじゃん」

「でも旧姓翁長啓心の立場としては自分は、妻を寝盗られた上に殺されたという、完全に被害者側の身で。言ってみりゃ、なんの落ち度も無いわけじゃないですか。なのにその事件のせいで翁長家に居づらくなった、ってのはちょっと気の毒かも。犯人の大久利威雄が実の息子だったことで、婿養子としての面目丸潰れだったのかもしれないけれど」

人間の記憶は、ほんの些細なきっかけで芋蔓式に、思いもよらぬ根っこまで掘り返されるもののようだ。いまわたしたちはくだんの聖書の箴言とそれに対する皮肉を、あたかも大久利威雄本人が事件に関する供述のなかで披露したかのように語っている。が、好きな娘に対する当てつけという己れの心情を説明するに当たって彼は、そんな変に衒学的なアレゴリーを実際には用いたりしていない。

いまようやく憶い出したのだが、その引用をしたのはわたし自身で、中学生だったほたるの理解をいくらか促し易いかも、との観点からだ。ではそもそも、キリスト教に関する知識なぞほぼ皆無のわたしがどこから、そんな譬(たと)えを引っ張ってきたのか、というと。過去に藤永孝美(ふじながたかみ)から教えてもらったことがあったからだった。それは。

元号が昭和から平成へ切り換わったばかりの一九八九年。七月某日。すでに一課の新米刑事になっていたわたしは、平日の午後三時過ぎという中途半端な時間帯に無人の自宅へ立ち寄った。ちょうど聞き込みの途中に通りかかったので一服しておこうとしたのか。なにか忘れ物でも取りにかえったのか。具体的なことはもう忘れてしまったが。

ふとなにげなしに冷蔵庫の扉を見ると、マグネットでメモ用紙が留められていた。父の筆跡で『藤永さんという方からＴＥＬ』とあり、その下に見慣れない電話番号が記されている。この時代なので、もちろん携帯ではなく、固定電話のものだ。

藤永さん……て、まさか、孝美？　彼女から電話が？　孝美は当時、関西の大学を卒業後、東京で就職。いっぽう地元県立大を出た後、警察学校へ進んだわたしはすっかり彼女とは疎遠(そえん)になっていた。孝美がすでにわたしの実家の電話番号なぞ失くしてしまっていてもおかしくないくらいの長期間。

そんな彼女のほうからわたしへ電話がかかってきた……と足もとがふわふわ浮遊

する錯覚とともに、漠然とした不安もまた同時に暗雲の如く胸に渦巻く。え。それをよりによって、お父さんが受けたの？　もやもやしながらもその番号にかけてみると、市街地に在る某シティホテルにつながった。

孝美の部屋を呼び出してもらうと、幸い彼女は在室で。聞けば孝美は某知人の結婚式と披露宴に出席するために帰郷し、そのホテルに宿泊しているところだという。翌々日まで滞在する予定だが、時間を都合できるようなら会えないか、と訊かれたわたしはこう答えた。いまからならだいじょうぶだよ、と。

急いでホテルへ赴き、ティールームで孝美と落ち合った。そのとき強烈に印象に残ったのは、高校時代にはわたしなんかよりも遥かにおとなっぽく感じていた彼女が、なんだか幼く見えた、ということ。

いや、正確を期すならばそれは、女っぽく成長していた、と形容すべきかもしれない。二十七歳という年齢相応に。どこかしら儚げで。庇護欲をそそられる、というのは些か男性的な視点に過ぎるような気がして正直、抵抗が無くもないけれど。

肯定的な見方をするならば、お互いの目線が対等になった、そんな側面もあるかもしれない。十代の頃のわたしは精神的に孝美に依存していた。少なくとも、彼女の存在を心の支えにしようとする傾向が強かった。

孝美の印象が幼くなったのではない。むしろ彼女の姿を等身大で捉えられるようになるくらいには、こちらも成長した、と考えるべきかもしれない。それとも、こんな解釈の仕方は的外れだろうか。わたしはいつまで経っても孝美との関係性に於ける適切な距離感を獲得できていない、と。ただ単に、それだけの話なのか。

（そういえばあたし、古都乃のお父さんにご挨拶したこと、なかったっけ？）ふいに孝美がそう言った。（いつだったか、他のクラスメートたちといっしょにお宅へお邪魔したとき。わりと気さくに接してくださったような覚えがあったから、さっきの電話も、ついそのノリで喋っていたら。失礼ですが、どちらの藤永さんですか、古都乃とはどういうご関係ですか？　って改めて訊かれちゃって）

それまでもずっと、もやもや抱いていた嫌な予感がまさに的中し、どっと脱力。

（……ごめん）と声が掠れた。（父は多分、娘の同級生たちの顔なんてろくに憶えていないと思う。うちに来たことがあるか否かにかかわらず。ただ特に最近、わたしのことを心配している、というか。つまり、その。わたしの交友関係について憂えていて……）

（ん。なになになに。どういうこと）

（警察ってさ、どこよりも職場結婚が奨励される。ある意味、特殊な世界で。それこそ見合いの話はのべつ幕なしなんだけど。どんな良縁でもわたしが、かたっぱしから断り続けているものだから、父は不安になっているらしい。娘が結婚しようと

しないのは、ひょっとして特定の女性と親しくし過ぎているからなんじゃないか……とかって)

しばしの沈黙の後、眼を瞬いた孝美。むうと低く唸(うな)った。腕組みして、下唇を突き出すその表情は怒っているのか笑っているのか、とっさには区別がつかない。

(そっか。なるほど。つまりあたし、お父さんに疑われていたんだ? この女、遠路はるばる古都乃を誘惑しにきたんじゃないか、って?)

ほんとにごめん、と頭を垂れようとするわたしを制した孝美は、まるで高校時代へ逆戻りしたかのように悪戯(いたずら)っぽく微笑(ほほえ)む。(そうですかそうですか。それはそれは。あたしもそんなあらぬ疑いをかけられたまま、黙って引き退がるわけにはいきませんね)

そう冗談めかしながら孝美が披露した言葉こそ例の聖書の戒律と、それを茶化した、同じ罪に問われるのならいっそ実行しておいたほうがまし、という皮肉だったのだ。

孝美はあのとき、いったいどういうつもりでそんな譬えを持ち出したのか。いまでも謎だし、彼女が鬼籍に入ったため本人に訊くことも叶わない。が、そのときのわたしは、ただただ動揺していた。じっとこちらを凝視してくる孝美の双眸に射竦められて。

部屋へ行きましょ……いまにも孝美が、そう甘く囁いてきそうな妄想にかられているところへ。(あ。タカミン、ここにいたんだ)と、ひとりの女性がテーブルへ歩み寄ってきて、わたしは我に返った。

(どもども。ちょうどよかった、古都乃。紹介するね。こちらは久志本さん)

それが他ならぬ刻子とわたしの初対面だった。孝美と刻子は大学のキャンパスで知り合い、同じ高和出身ということで意気投合したのだという。翌日に控えていた結婚式の主役もこの久志本刻子の兄のものだった。

つらつら過去に思いを巡らせていると、ほたるのスマホに着信があった。「はい。あ、ども。お疲れっス。え、ほんとに?」

眉を一瞬ひそめ、声量はそのまま、わたしのほうを向いた。「筈尾さんです。今夜うちへ来たい、とおっしゃっていますが。だいじょうぶですか。例のアパートでのコロシの被害者の女性、身元が判明したそうです」

〈つづく〉

PHP文芸文庫

あなたの涙は蜜の味

イヤミス傑作選

宮部みゆき／辻村深月
宇佐美まこと／篠田節子
王谷　晶／降田　天
乃南アサ 共著
細谷正充 編

旬の女性
ミステリー作家による
イヤミス・アンソロジー。
見たくないと思いつつ、
最後まで読まずには
いられなくなること
請け合います。

辻村深月／宇佐美まこと
篠田節子／王谷　晶
降田　天／乃南アサ
宮部みゆき　細谷正充 編

あなたの涙は蜜の味

イヤミス傑作選

あの子、パッとしない子だった

どうして彼女の周りだけがうまくいくのだろう

衝撃の結末に心がざわつく
「あなたの不幸は蜜の味」に続く
鳥肌必至のアンソロジー！

PHP文芸文庫

すべての神様の十月（三）

第七回

方向音痴は直りません

小路幸也
Shoji Yukiya

あ、そうか、って思わず手を打ちそうになった。

大学の心理学の講座。

心理学とは、人間の心と行動を科学的な手法で研究するものなんだって。精神医学のひとつの分野でもあるんだろうけれど、心と同時に行動をも研究対象として伴うものなんだってあたりまえのことにものすごく納得してしまった。

教育学部でももちろん心理学をやる。将来は学校の先生になるつもりだけれど、子供の教育に心理学の基礎は欠かせない学問だ。だからきちんと勉強しなきゃならないんだけれど。

そうか、心と行動なんだって。

「何か、気になることでもあった？」

講義が終わったら、隣で一緒に受けていた万梨がノートとか片づけながら訊いてきた。

「気になること？」

「途中からものすごく、感じ入ったように頷きまくっていたから」

そうか。頷きまくっていたか。

「いや」

うん、どう言えばいいか。

「心理学というもののなんたるかを、ものすごく理解したような気がして」

微笑んで万梨が小首を傾げる。

「それはもちろん、最初の講義なんだし」

だよね。

「心理学とはこういうものです、っていうのをきちんと説明されて、なるほどあれもそうだったのかって納得したんだ」

「あれって？」

「うちのおふくろ」

「お母様？」

そう、うちの母親。

この間、四十歳になったばかり。


大学は、自宅から歩いて三十分っていう距離。

近くていいじゃん！　ってなるだろうけど、ものすごく微妙な距離なんだ。

晴れた日なら自転車とかスクーターでもあれば、十分もかからないで着くから確かに便利なんだけど、雨が降ると厄介だ。

大学の正門の目の前にバス停があるからそれに乗ればいいんだけど、自宅からいちばん近いその路線のバス停へは歩いて十分かかる。そしてバスはぐるりと回って走るから大学に着くまで二十分かかる。

つまり、傘を差して歩いても時間的には全然変わらない。

電車の駅は家から歩いて八分で、大学にいちばん近い駅までは五分で着くけど、そこから大学までは歩いて十分。

何もかもがものすごい微妙な時間で、結局余程の大雨じゃない限りは、歩いた方がめんどくさくない、ってことになってしまう。それか、覚悟して完全装備して自転車で走るか。まぁ完全装備して雨の中自転車で走るってこともかなりめんどくさいんだけど。雨合羽とかどこに乾かしておこうか、ってことになるし。

　万梨は、高校で一緒になって三年間同じクラス。二年生のときにつきあい出して同じ大学に進んだ。今も、つきあっているカレとカノジョ。そして万梨の自宅も、近所とは言えないけれども僕の帰り道の途中にある。

　なので、帰りも一緒になるときには、二人で並んで歩いて帰ることも多い。毎日がデートみたいなものだ。

「それで、お母様がどうしたの？」

　万梨が訊いてくる。

「方向音痴」

「話したことなかったっけ。ひどい方向音痴だって」

　あぁ、って万梨が頷く。もちろんつきあってることは家族全員知ってるし、母さんと会ったこともある。

「聞いたかも。でも私もわりと方向音痴な方だと思うな」

「いや」

　確かに万梨も少しそんな感じはあるけど、もうレベルが全然違う。

「中学の野球部とメジャーリーグぐらいの差がある」

「そんなに？」

「普通は、いや普通の方向音痴っていうのがもう変な言い方だけどさ」

「うん」

「たとえば、知らない街に行って駅で降りてそこからどこか目的地へ歩いて行って、さぁ終わった帰るか駅はあっちだな、と思って歩いていたら全然反対方向に歩いていた、とかさ。方向音痴ってそんな感じのものじゃないか」

「まぁ、いろいろだろうけれど、大体そういうものかな？」

そういうものだよ。

でも、うちの母さんは、そんなものじゃない。

「母さん、週に三日とか四日とか、本屋さんでバイトっていうかパートの従業員しているんだ」

「うん」

知ってるよね。たまにそこに本を買いに行ってるから。

「仕事が終わってさ、さぁ帰ろうって、うちへ帰るのにあの人迷うんだよ」

「え？」

「自分の家に帰るのに、車で二分、自転車で八分、歩いたって二十分ぐらいの自宅に帰るのに、ほぼ毎回迷うんだよ」

「え、どうして？」

それはもう僕たち家族が全員訊きたい。

どうして迷うのか。

でももうあたりまえになってしまっているから、誰も訊かないんだけど。

「迷って、帰れなくなるの？」

「いや、帰っては来るんだ」

〈迷う〉というのが〈帰ってこられなくなる〉という意味なら、母さんはいつも〈遠回りしてしまう〉というのがいちばん的確な表現かもしれない。

「たとえば、まずあそこの本屋さんの裏口、通用口は店の裏にあるんだ。そこから出て家に帰るなら、自転車でも車でも徒歩でもまず店の正面の国道に出るんだ」

うん、って万梨も頷く。知ってるよね。

「出たら、まず右に行く。そこから次の信号まで進んで信号を左に曲がる。わかるよね？」

「わかるわ」

「そこで間違える。右に行ったりするんだ」

「どうして？」

「本当にわからない。本人に訊いてもわからない」

何度訊いても、自分でもわからないって言うんだ。どうして右に行っちゃったんだろうって首を傾げるんだ。

「その後、間違いに気づくんだ。あれこの道は違うぞって。そして右に行ったり左に行ったりして国道に戻ったところでようやく『あぁ家はあっちだ』ってわかって向かうんだ。自転車で十分で着くところを三十分間走ったりしてるんだよ」

万梨が顔を顰(しか)める。

「歩いても二十分ぐらいのところを一時間も歩いて帰ってきたりするんだ。いつの間にか反対側の遠いところのスーパーに着いちゃって、まぁいいかついでだから買い物して帰ろうって荷物を増やしてさ、ちょっと重いから車で迎えに来て、とか電話が来るんだ」

「スゴイわ」

うん、本当に逆にスゴイかもしれない。

「まだあるよ。イオンあるじゃないか」

近くにある本当に大きなイオン。

「あそこに買い物に行くとさ、慣れてない人だったら普通に『あれ、どっちから入ってきたっけ？』って一瞬悩んだりするじゃないか」

「するわ。私もよく間違えそうになる」

「でも、すぐにあっちだな、って歩き出すじゃないか。母さんは違うんだ。そもそもどっちの入口から入ってきたかなんて覚えていないんだよ。だから、買い物終わったらとにかく目に入ってきた出口から出るんだ。そしてぐるっと歩いてタクシー乗り場を探してそこからタクシーで帰るんだ」

うん、って万梨が頷く。

「それなら迷わないわね」

「違うんだ。そもそも母さんは自分の車を運転してイオンに行ってるんだよ。どこに駐車したかさえわからなくて迷うから、迷う前に置いて帰っちゃうんだ」

「え、車はどうするの」

「タクシーで家に着いたら、自転車に乗って車を探しに行くんだ」

「え、その自転車はどうするの？」

「後ろに積んで帰る。折り畳み式の自転車だから乗るからね」

「そうしてまた迷ったりするの？」

「するんだこれが」

そこから家に帰るのに、十五分のところを一時間かけて帰ってきたりする。まぁたまにはすんなり帰ってくることもあるらしいけれど。

そんな人は日本中捜しても二、三人しかいないんじゃないかって思えるぐらいに、スゴイと言えばスゴイ方向音痴の人。

「え、でもそれってね。お母様はひょっとして」

「心配になるよね。ボケてるんじゃないかって」

健忘症とか、認知症とかさ。何か脳に異常とか病気とかあるんじゃないかって思ってしまうよね。

「でも、若いときからずーっとそうなんだって。それこそ僕たちみたいに父さんと母さんは高校の頃から付き合い出して、結婚したんだけど」

「あ、そうなんだ」

万梨がニコッと嬉しそうに微笑んだ。

「その頃からずっとそうで、そしてじいちゃんばあちゃんの話ではもう小学生の頃からそうだったたって」

小学校からの帰り道は子供の足で歩いても五分ぐらいだったのに、母さんは普通に歩いて一時間ぐらいかけて帰ってきたって。それも、どこかで寄り道して遊んで帰ってくるんじゃなくて、ただ歩いて。

筋金入りの方向音痴。

「それでさ、新婚旅行に九州に行ったそうなんだけど、そこでも母さんはやらかして」

駅のホームを二人で歩いて、右側の電車に乗るってちゃんと話していたのに何故か母さんだけ左側の電車に乗ってしまって、てっきり母さんは後ろにいるもんだと思っていた父さんがびっくりして、ホームを見たら向こう側の電車に乗っている母さんが見えて。

「慌てて飛び降りて呼びに行ったら母さんはしれっと座席に座ってどこ行ってたの？　って」

笑う。そう、もう笑うしかないんだよね。

「お母様、いつも元気で明るいよね」

そうなんだ。

そういう失敗というか方向音痴を毎日毎日やらかしているんだけど、母さんは常に元気で明るい。

それがまぁ取り柄というか、いいことなんだけど。

「それで、父さんもちょっと心配になって、脳外科とか行って検査させたんだって」

「脳に異常がないかどうか？」

そう。

「何もなかったのね？」

「なかった」

まったく正常。医学的には何の問題もなかった。

つまり、本当にただのとんでもない方向音痴。

「それでさ、行動心理学だよ」

「あぁ、そういうことね」

心と行動の相関関係。人の行動には必ず意味がある。その意味は心の動きと関係している。

「教授も雑談みたいに言っていたじゃないか。知らないところに行ってすぐに近道を選べる人と選べない人がいるって。それを科学的な手法で研究することでその人の心と行動理由がわかってくるんだ」

「そうだね」

母さんの方向音痴がいったいどこから来るものなのか。それは医学的にはわからなくても、心理学を勉強することでわかって、ひょっとしたら治せるんじゃないかって。

「そうかぁ」

なるほど、って感じで万梨が頷く。

「そんなにスゴイとは全然知らなかったけど」

そう言って、何か考えている。

「あのね、凌兵くん」

「うん」

「言ってなかったと思うけど、今日の心理学の講義をした井口教授って、うちの親戚なの」

「親戚?」

「全然遠いけどね。血の繋がりはないんだ。でも前に会ったことがあって、そのときに知ったんだけど、義理の弟さんが心理カウンセラーみたいなことをやっていて、自分よりもものすごく優秀な人なんだって」

「へー」

心理カウンセラーか。

「T大出身で、本も何冊も出しているし、飛び抜けて優秀な精神科医でもあるんだって。何かそういう方面で相談したい事が起こったらいつでも紹介するよ、って話していたんだけど」

優秀な精神科医で心理カウンセラーか。そんな人が身近にいるのか。

「お母さん、何か問題とか起こしたら困るよね」

「今までは特に何もなかったんだけどね」

とにかくどこかに行ったなら帰ってくるのに、いや行くのにも時間がかかる、というだけで。

「でも、そういうことなら、できるんなら話は聞いてみたいな。何かすることで治るなら治った方がゼッタイにいいもんだし」

そうよね、って万梨も頷いた。

＊

櫻木直次郎（さくらぎなおじろう）さん、っていうなんか古風な名前の人だった。

年齢は四十五歳で、精神科医で心理カウンセラーで大学の教授でもある人。自分の事務所というか、カウンセリングルームを持っていて、万梨を通して会うことができたんだ。しかも親戚ってことで、無料で。

髪の毛がすごい銀髪で、めちゃくちゃ渋い風貌の先生だった。難しい話ならいくらでもできるよ、みたいな。

「なるほど」

なるほどなるほど、って何度も頷いていた。母さんの今までの方向音痴の話を延々としたんだ。いくらでも話せるから。

「どうなんでしょう。こういうのは治るものなんですか？」

一緒に来てくれた万梨が聞いた。万梨も、一度だけこの櫻木先生には会ったことあるんだって。

「直るというか、そうですねぇ」

先生が僕を見た。

「とにかくこういうものは人それぞれなので一概には言えないのですが、たとえば単純に道をよく間違える人というのは、記憶の仕方が違うという場合があります」

「記憶の仕方が違う？」

「たとえば君が、えーと二ノ宮(にのみや)凌兵くんですね。君がある目的地に向かっていて、その途中でコンビニがあってその角を左に曲がったとしますね？　そうするとあなたは〈コンビニを左に曲がれば目的地がある〉と記憶するわけです。それで、帰り道ではそのコンビニまで来たら、あなたはどうします？」

簡単だ。

「右に曲がりますね」

「その通り。凌兵くんはきちんとコンビニを〈道順の目印〉として記憶したわけです。しかし道をよく間違える人は、俗に方向音痴といわれる人は、そうは記憶しない。彼らはそのコンビニに見たときに〈あ、後でここで飲み物買って帰ろう〉などと記憶してしまうわけです」

なるほど。

「最初から〈目印〉として記憶しないんですね？　そんなこと思ってもいないっていうか、考えない？」

「そういうことです。それはわざとやってるわけでもなんでもなく、ただそうしてしまうだけ。なので、道を間違えたくない、と思うのならば、常に〈目的地への目印〉として記憶する〈習慣づけ〉を、まずしなければならないんですよ」

そうか、そういうことか。

「じゃあ、うちの母は、そもそも周りの景色を見ても、〈まったく目印として記憶しない〉人なんですね？」

「そういうふうにも考えられる、ということですね。もうそれは性格としか言い様がないかもしれません。買い物に来たスーパーでトマトを見て〈美味しそう〉とただ思って記憶する人と、〈この場所にトマトが売ってるんだ〉と記憶する人がいるようなものです。そうするとスーパーで場所を何も迷わずに買い物ができる人は」

「後者ですね」

「その通り。きっとあなたのお母さん、えーと二ノ宮喜子さんの場合は、いつも行っているスーパーでも、どこに何が売っているかをあまり把握してないんじゃないでしょうかね。常に目に入ってきたものをさっと買っている。ひょっとしたら家の中に余っているものもたくさんあるんじゃないでしょうか」

「あります」

トイレットペーパーとかティッシュの箱とかやたらいっぱいある。

牛乳だって冷蔵庫に六本も並んでいることもあって、早く飲まなきゃならないってやたら飲まされたりするんだ。

そうか、それもそういうことだったのか。何もかもが方向音痴故だったのか。

「ただ、ですね」

先生が、僕をじっと見て言う。

「どうでしょう。そうですね、凌兵くんの家の家族構成はどんな感じですか」

「父母と、僕と妹です」

父さんは二ノ宮良男(よしお)で、妹は二ノ宮由奈(ゆな)。うちは四人家族だ。

「お父さんは会社員ですか?」

「そうです」

建設会社で設計の方をやっている。

「妹さんは」

「高校二年生です」

飛び抜けて美人だとか、運動神経が良いとか頭が良いとかそんなのはまったくない。ただ母親譲りの愛嬌だけは良い妹だ。万梨ともすごく仲良し。

「お母さんはちょっと興味深いので実際にお会いして話をしてみたいのですが、その前に、行動記録をつけてもらえませんかね」

「行動記録？」

「家族全員の行動記録。毎日どこへ行って何をしてどんなことがあったかを軽くでいいので記録して私に見せてくれませんか」

「え、母だけじゃなくて、家族全員ですか？」

先生が頷きながら、でもその後で首を傾げた。

「さすがに全員は難しいですかね。じゃあお父さんとあなただけでもいいです。毎日どこへでかけて何をしてどんな出来事があったかを一時間ごとでいいですから、記録してください」

父さん？

「母じゃなくて、父ですか？」

「そうです。お父さんと、凌兵くんです。そして、お二人の行動記録をその日の終わりに確認して、お母さんと妹さんにも話を聞かせて同じようにその日にどんなことがあったかを簡単でいいですから聞き取って記録してください。それで四人分です。どうでしょう、とりあえず、一週間、いや十日間でいいですからやってみてくださいよ」

どうして母さんじゃなくて父さんなのか。それも行動様式の確認ってことになるんだろうか。

十日間か。まぁ大学でレポートの宿題が出されたと思えば何とかやれるかな。

やってみた。もちろん、全部母さんにも父さんにも話して。大学の授業の一環にもなるし、これで方向音痴が治る道筋でも見つかるならラッキーじゃない？　って話をして。皆がそれはそうだなって納得して。

父さんと僕がどこへ行ったかなんて簡単だ。会社と大学だ。そしてどんなことをしたかも簡単。仕事と講義だ。

その中で、たとえば僕は万梨と一緒にお昼を食べに学食に行ったけれど、僕の後ろすぐ脇でいきなり観葉植物の鉢(はち)が倒れてきて二人でびっくりしたとか。父さんはランチで外の中華料理屋に行ったけれど、父さんがランチを頼んだらそれが最後だったとか、そういう本当にどうでもいいようなことも全部確認し合って記録した。

もちろん、家に帰ってきて晩ご飯を食べながら。そして母さんと由奈にも、その日何があったかを簡単に確認して、記録。

それを、櫻木先生にメールで送る。

それを十日間。

ついでと言ってはなんだけどって、先生は万梨にも同じことをやってみてくださいって言っていた。だから、万梨も毎日の行動を一時間ごとに区切って記録して先生に送っている。まぁ万梨の場合はほとんど僕と重なっているんだけどね。

＊

十日間のレポートを送り終わって、それからさらに四日後。つまり、櫻木先生と話して二週間後。

万梨とそして母さんも一緒に、櫻木先生のカウンセリングルームを訪ねた。お母さんも一緒に来てくださいって言われたんだ。

櫻木先生は、部屋に入った僕たちを見るなり、うん、って大きく頷いて言った。

「あぁ、やっぱりそうでしたね」

何のことだかわからなくて、僕たちは揃って首を捻って。

「まぁ、お座りください。あぁ、まずはお母さん、えーと二ノ宮喜子さんからどうぞお好きな椅子(いす)を選んでお座りください」

そう、先生のカウンセリングルームには、椅子がたくさん置いてあるんだ。それも高そうなソファから事務用の椅子までいろいろ。

　母さんは、はぁ、とか言いながら先生の真正面に置いてある背もたれのない丸椅子に座った。それから僕と万梨は、並んで二人掛けのソファに。

　先生は、うんうん、って頷きながら笑った。

「これで今日は私に何か良いことが起こるかもしれませんね」

　良いことが起きる？

　さっきから先生が何を言っているのかまったくわからない。

「さて、順を追って説明しましょうね。二ノ宮喜子さん」

「はい」

「ものすごい方向音痴という特性をお持ちのようで、自分でも充分それがわかっていらっしゃいますね？」

　母さんは、こくん、と頷く。

「わかってます」

「でも、別に困っていませんよね？　一度でも困ったなぁ治したいなぁとか悩んだことあります？」

「いえ、ないんですよね」

　ないのか。そうだよね。困ったなんて一回も聞いたことないものね。

「自分でも不思議なんですけどね。いや、たとえば待ち合わせに遅れちゃったりしたらそりゃもう困ったもんだなぁ申し訳ないなぁと思いますけど、悩んだことは一度もないですね」

「そうでしょうそうでしょう。それが何故かは自分でもわかりませんよね？　性格なんだろうなぁとか思うだけで」

「そうですね」

先生が、紙の束を僕らに見せた。

「これは、凌兵くんに頼んで送ってもらった皆さんの十日間の行動表なんですよ。ここに、その理由があるんですよね」

「え？」

理由？

「これをご覧ください。凌兵くんと万梨さんが学食に行ったときに、すぐ脇にあった鉢植えが倒れました」

うん、あったそんなことが。

「このときですね。たぶん十分かそこら前でしょうけれど、喜子さんはパートである書店に向かおうとして、一度だけ道を間違えているんですよきっと」

「そうなんですか？」

母さんの行動も記録した。見たら、大体同じ時間に確かに母さんはパート先の書店に向かっている。

「こちらなんかですね、これは旦那さんの良男さんですね。この時間に、良男さんの会社の目の前でタクシーと乗用車がぶつかる事故が起きているんですけれど、そのときにも喜子さん、スーパーに買い物に行こうとしてたぶん遠回りしていますね。これ、良男さんが外に出る直前に忘れ物をして一度会社に戻っているんです」

「え、それは」

「関係あるんですよ。もしも、喜子さんが道を間違えなかったら、たぶん良男さんはこの事故に巻き込まれていたかもしれませんね」

事故に?

「どういうことですか先生。私が道を間違ったから主人が助かったってことなんですか?」

「そういうことです」

さっぱりわからない。

「陰陽道(おんみょうどう)って、聞いたことありますか」

陰陽道。

「あの平安時代とかの、ですか」

言ったら、頷いた。

「そうそう。中国で生まれて日本で独自に発達した、まぁざっくり言えば占いです。天文学や暦などの知識を総動員して、方角や日時の吉凶を占ったりするんですよ。その中に、〈方違え〉ってものがあるんです」

「聞いたことあります」

聞いたんじゃなくて、何かで読んだんだ。

「運が悪い方角があるから、そっちじゃなくて別の方向へ行ってから向かうとかいうやつですよね」

「その通り。凌兵くんなかなか知識がある」

先生が、うんうん、って頷く。

「方位神って言うんですけどね。そういう神様がいるんですよ。まぁいると思ってください。方位は東西南北の方位、ですね」

「方角の神様ですか？」

「そうです。要するにあちこちの方角にそこを守ったりする神様がいるって発想ですよ。で、その中には良い神様もいれば、ややこしい神様がいたりするんですね。日本の神様ってそうでしょう？　良いのもいればややこしいのもいる。菅原道真なんかは学問の神様になってますけど、その反面怨霊にもなっていますからね」

それは知ってる。よくマンガでも読んだ。

「で、〈方違え〉っていうのはですね。目的を持って出かけるときに、いきなりそのややこしい神様がいる方角に向かうと災厄に遭っちゃうから、まずは良い方向へ向かってからぐるりとまわってやるといい、なんてことになるものです。それが、〈方違え〉なんですね。陰陽師とかがやるものです」

あ、わかった。

「じゃあ、母さんの方向音痴って、その〈方違え〉を無意識でやっているって話ですか？　誰かの災厄を避けるために、母さんがやっているって？」

「そういうことです」

先生が大きく頷く。

「もう天性の感覚でその方違えをやってるんですねきっと。言ってみれば〈厄払い〉です。神社でやってくれますね？　喜子さんは、自分の身近な人たち、家族やそういう人たちに振り掛かる災厄を道を迷って〈方違え〉をして、厄を払っているんですよ毎日毎日」

「じゃあ、母さんが道に迷わなかったら、僕と万梨に観葉植物がぶつかってきたり、父さんが事故に巻き込まれたりしたってことですか」

その通りです、って先生は人差し指を立てた。

「喜子さんは、生まれながらにして〈厄払いの神様〉がついているんでしょうね。ひょっとしたら、ご先祖様に非常に力の強い陰陽師とかがいる家系かもしれませんね。その力を引き継いで生まれてきたんですよ。あれですよ、二ノ宮家では忘れ物とか落とし物とか、あるいは物理的な事故とか、そういうものは一度もないんじゃないですか？」

忘れ物や落とし物。

うん、したことがない。物理的な事故。確かに誰も遭ったことがない。

「そういうの、全部お母さんが、喜子さんが道に迷う〈方違え〉で祓ってきたんでしょうね。素晴らしいです。何も治す必要はないですよ。そのままで行きましょう」

思わず顔を見合わせてしまった。

母さんは方向音痴で道に迷っていたんじゃない。〈方違え〉をしてきたから、我が家は平和だったのか。

「でも、先生。それを先生はすぐにわかったってことは」

櫻木先生が、微笑んだ。

「私も、実は陰陽師の家系なんですよ。喜子さんを見たときにすぐにわかりました。あぁ同じものを持ってるんだなって」

〈つづく〉

恐室

冥國大學オカルト研究会活動日誌　最終回

福澤徹三
Fukuzawa Tetsuzo

「はじめに——みなさんにご心配とご迷惑をかけたことをお詫びします。いままでなんの連絡もせず、申しわけありませんでした」

　その声は、まぎれもなく麻莉奈だった。

「それともうひとつ、みなさんにあやまらないといけないことがあります。うちの部屋の防犯カメラに映った幽霊——あれはわたしなんです」

　想像だにしなかった言葉に戦慄した。あの女の幽霊が麻莉奈だったとは、とても

信じられない。みんなが固唾を呑む気配のなか、麻莉奈は続けて、

「なぜ、あんな自作自演をしたのか。その理由をこれからお話しします。わたしは高校三年のとき、ストーカーに悩んでいました。当時は電車で通学してたんですが、駅の改札をでると毎日おなじひとがあとをつけてくるんです。何度も姿は見ていますが、いつもサングラスにマスクなので顔も年齢もわかりません。気持悪いので自転車通学にしたら、どうやって調べたのかパソコンにメールが送られてきて『彼氏いないんだろ。かわりにずっと見守ってるからね』って書いてありました。頭にきたんで『警察に相談します』って返信してメアドを変えたら、ストーカー行為がエスカレートして――」

麻莉奈はそこで深い溜息をついて、

「バイト先のコンビニの前で見張ったり、自宅に無言電話をかけてきたり、わたしの部屋の窓に小石をぶつけたり、玄関に雀や鳩の屍骸が置かれてたり――。怖くてバイトは辞めるしかなく、学校へいくのも怖くなりました。両親と姉に相談して警察にも連絡したんですが――」

警官はパトロールを強化するというばかりで、なかなか捜査ははじまらなかった。大学受験が間近に迫ったある夜、自宅の前にサングラスにマスクの男が立っているのに気づいて警察に通報した。警官が駆けつけるのと同時に男は逃走したので

捕まえられなかったが、それきりストーカー行為はおさまった。

「冥國大に入ってからは実家を離れてこの街にきたので、ストーカーとは縁が切れたと思いました。ただマンションの低い階で、女のひとり暮らしはあぶないっていうでしょう。それで四階の部屋を借りたんです。大学生活がはじまると、ひさしぶりにのびのびした毎日を送りました。それでもストーカーのことはトラウマで、また誰かにつきまとわれるのは厭だから、みんなには彼氏がいるっていうことにしました」

麻莉奈はオカ研に入り「きつね」でバイトをはじめたが、みなかみさんの家へいってから肩が重くなり、部屋で怪異が起きるようになったといった。

蒼太郎は、麻莉奈から聞いたさまざまな怪異を思い浮かべた。外出から帰ると室内のものが動いていたり、他人の髪の毛やヘアピンが落ちていたり、観葉植物が枯れたりした。深夜にチャイムが鳴って、ドアホンの画面を見ると誰もいない。翌朝、玄関のドアを開けたら廊下がぐっしょり濡れていた。

歌蓮と遊馬と三人で麻莉奈の部屋へいったときも、おなじ現象が起きた。その翌日、歌蓮が室内に置いた盛り塩が皿ごと飛び散っており、お祓いにいった神社でもらった御守りの中身が黒く焦げていた。「きつね」で定例会をおこなったのはもっと前だが、焼酎の五合瓶が棚から落ちて割れ、麻莉奈に非通知の電話がかかり、女の叫び声が聞こえた。

六月の終わりごろ「きつね」で緊急の定例会があり、万骨と鯨岡が盗聴や盗撮の有無を調べるため、麻莉奈の部屋にいこうとしたら彼女は気分が悪くなった。そのため調査は翌日になり、天井の隅に防犯カメラを設置した。防犯カメラに女の映像が映ったのは、その二日後だ。

「わたしはいろいろな怪異を心霊現象だと信じてました。ただ会長は前にこういいましたよね。チャイムが鳴ったあと廊下が濡れたんじゃなくて、廊下に水を撒いたあと、外にでてチャイムを鳴らした。つまり侵入者はチャイムを鳴らす前からマンションのなかにいたって考えれば、つじつまはあうって。それを聞いてから、もし

前回までのあらすじ

偏差値は中の下の東京郊外の「私立冥國大學」に入学した巴蒼太郎は、キャンパスで「オカルト研究会」の勧誘を受けた。入会を断ろうとした矢先に、可憐な新入生・文月麻莉奈も入会していたことを知り、蒼太郎も入会する。オカ研の仲間と事故物件を訪問後、麻莉奈が軀の不調を訴え始め、消息を絶ってしまう。そんななか、オカ研の顧問の御子神教授が「怪談会」をすると言い、部員の参集を促した。会も終了に近づいたと思われた時、会場に聞き覚えのある声が響き、蒼太郎は驚愕した。

かすると誰かが部屋に忍びこんでるのかもって思いました。ちょうどその次の日、講義のあと御子神先生に呼ばれて、観葉植物の土を持ってくるようにいわれました」

「わしはその土の成分検査を、知りあいの大学教授に依頼した」

と御子神の声がした。

「検査の結果、土からは除草剤の成分が検出された」

観葉植物が除草剤で枯れたのなら、それは怪異ではない。麻莉奈は続けて、

「御子神先生は侵入者がいるのは確実だから、早くその部屋をでて警察に相談すべきだといわれました。わたしはそこで、はっとしたんです。侵入者は、あのストーカーじゃないかって。ストーカーにつきまとわれてるときも、実家の庭に植えてた花が急に枯れたから――」

もし侵入者がストーカーと同一人物だとしたら、以前と同様に警察が動けば姿を隠してしまう。麻莉奈はそれを警戒したという。

「ストーカーが防犯カメラの存在を知ったら、部屋にはもう侵入しなくなって、べつの嫌がらせをしてくるかもしれません。わたしはどうしても犯人の正体を知りたかったし、警察に捕まえてほしかった。犯人が誰にせよ、そんなに幽霊で怖がらせたいのなら、幽霊がでたことにしてやる。それが原因でわたしが失踪したら犯人は

驚くだろう。そう思って——いま考えると、わたしの精神状態もふつうじゃないですよね」

麻莉奈は長い髪のウィッグと白いワンピースを買い、防犯カメラであの映像を録画した。そのあと防犯カメラを天井（てんじょう）からはずして床に置いた。続いて蒼太郎に電話すると、スプーンやフォークを詰めた布袋を床に放り投げて、防犯カメラが壊れた音を演出し、

「いま防犯カメラが床に落ちて壊れた。もう、この部屋にはいられない」

切迫した声でいって電話を切り、動画を送信した。

「なぜそんなことをしたかというと、犯人をおびき寄せるためです。わたしが留守なのとカメラが壊れたことが犯人に伝われば、また部屋に侵入すると思ったんです。犯人は神社の御守りを焦がすくらいだから、幽霊なんか信じていない。でも、わたしの居場所を知りたくて部屋を調べにくるはずだって」

わしは彼女にいうた、と御子神が口をはさんだ。

「犯人は、きっと身近におると」

「部屋で怪異が起きるのは、決まってわたしが留守のときでした。犯人はわたしの行動を把握できる人物——いまここにいる誰かです」

闇のなかに動揺の気配が広がった。麻莉奈は続けて、

「わたしはウィッグと白いワンピースを買いにいったとき、秋葉原にいって遠隔操作ができる超小型カメラをふたつ買いました。それを玄関とリビングに仕掛けてから部屋をでて、失踪したように見せかけたんです。それからはビジネスホテルに泊まって、超小型カメラの映像を毎日チェックしました」

四日前の深夜、犯人は予想どおり麻莉奈の部屋に侵入した。超小型カメラはその映像をとらえたが、犯人は帽子をかぶってメガネとマスクで顔を隠していたので、それが誰かはわからなかった。

「わしは彼女からその映像を送ってもらい、万骨に転送した。万骨は刑事である父親を通じて警視庁に捜査を依頼したが、変装した映像だけでは犯人を特定できん。犯人を特定するには、犯人の可能性がある人物を一堂に集めて、その映像を解析する必要があった。それが、この怪談会じゃ」

「失礼だぞ。ぼくまで犯人あつかいしてるのかッ」

渋原（しぶはら）の怒声が聞こえた。そうじゃありません、と麻莉奈はいって、

「でも教授は個人指導だといって、わたしを渋谷の居酒屋とバーに連れていきましたよね。そのあと、ちょっと休憩しようっていったのは、どういう意味ですか」

おれ、ふたりが歩いてるとこを見たんだよ、と遊馬の声がした。

「やっぱ教授は、めっちゃアカハラしてるじゃん」

渋原は口を閉ざした。さて、と御子神の声がした。

「話もいよいよ佳境やの。ここの店内には隠しカメラを仕掛けてある。怪談会がはじまる前に撮影した映像は警視庁に転送され、解析が進んでおる。犯人はメガネとマスクをしておったが、眼や耳や鼻などの位置を座標軸で取りこんで解析すれば、同一人物を特定できる。解析の結果は、まもなく届く。怪談会の最後に犯人がわかる――まさに怪異というべきやろ」

そのとき何人かが動く気配がした。小上がりをおりて靴を履く物音がする。

「わしの話はこれで終わりじゃ。明かりをつけてくれ」

蒼太郎は立ちあがり、スマホのライトを頼りに照明のスイッチを押した。明るくなった店内を見わたすと、御子神と万骨のあいだに麻莉奈が座っており、鯨岡がゴムサンダルを履いていた。

「鯨岡さん――」

遊馬がうめくような声をあげた。

「ん？　ちょっとトイレ」

鯨岡は平然とした顔でいった。

そのとき温見（ぬくみ）が厨房（ちゅうぼう）に入っていった。厨房の奥には勝手口がある。蒼太郎は急いでスニーカーを履いて、温見さん、と声をかけた。

「まさか温見さんが――」

温見は微笑して、ちがうちがう、といった。

「喉が渇いたんだよ」

しかしなにも飲んではいない。気になって厨房に入ったら、温見は光るものを手にしていた。それが刺身包丁だとわかって心臓が縮みあがったが、なぜか足は止まらず前に進んでいく。

温見は刺身包丁の切っ先を蒼太郎の喉元に突きつけて、

「ぼくは捕まるわけにいかないんだ。悪いけど、人質になってもらうよ」

いままで見たことのない凶暴な眼つきに、下半身が冷たくなって強い尿意をおぼえた。温見は怖いし、いまにも漏らしそうなのもやばい。やばいやばいやばい。猛烈に焦っていたら勝手口のドアが開いて、髪の長い痩せた女が飛びこんできたので失禁しそうになった。

女は、きょう麻莉奈のマンションからでてきたときと雰囲気がちがう。髪を後ろで束ね、黒っぽいスーツを着ている。女のあとから制服の警官たちがなだれこんできた。温見良和ッ、と女は叫んだ。

「ストーカー規制法違反ならびに住居侵入容疑で逮捕するッ」

温見は背後を見ようとせず、蒼太郎の肩の上を凝視している。と思ったら温見の顔がたちまち青ざめ、刺身包丁が床に落ちた。とたんに女と警官たちが飛びかかって温見を組み伏せた。

十七

洗濯カゴをさげてちっぽけなバルコニーにでると、まばゆい陽光が照りつけてきた。蒼太郎は物干し竿に衣類を干しながら、朝の新鮮な空気を胸いっぱいに吸いこんだ。長い梅雨(つゆ)がようやく明けて、湿気でじめじめした室内はさわやかになった。

中間テストが終わって夏休みに入り、夏らしい晴天が続いている。

文芸創作の課題だった八百字の小説は、ゴールデンウィークにキャンプした高尾(たかお)山(さん)の一夜をコミカルに書いた。恐怖がテーマだから最近自分が体験したことを書こうかと思ったが、話が複雑すぎて八百字にまとめきれなかった。

ほかの科目の中間テストも出来はよくなかった。けれども胃の痛みがなくなって食欲ももどってきた。麻莉奈が姿を消してからストレスに苦しんだ日々を思いだすと、あれは現実だったのかと疑いたくなる。

御子神が企画した怪談会は驚きの連続だった。防犯カメラに映った女の幽霊が麻莉奈の自作自演だったこと、ストーカーの正体が温見だったこと、髪の長い痩せた女が刑事だったこと。

温見が逮捕されたあと、蒼太郎は警察署で事情聴取を受けた。怪我こそしなかったものの刺身包丁でおどされたのは「暴力行為等処罰に関する法律」違反にあたるので、温見はその容疑でも起訴された。

髪の長い痩せた女は生活安全課の刑事で、影山美沙と名乗った。影山は麻莉奈の件とはべつのストーカー事件で温見を内偵していたので、客を装って「きつね」にきていたといった。怪談会の当日、麻莉奈のマンションからでてきた理由を訊くと、影山は痩せた顔をほころばせて、

「マンション内の防犯カメラの映像を確認するためよ。きみたちは怪談とか好きみたいだから、幽霊とでも思った？」

幽霊ではないにしろ、不審者だと思っていたとはいえなかった。

あの夜、麻莉奈は「きつね」の外に停めてあった覆面パトカーで、影山たちと待機しており、店内の隠しカメラの映像を見ていた。怪談会で最後の蠟燭が消されると勝手口から店内に入り、警察から借りた暗視スコープを覗いて闇のなかを歩き、小上がりの席についたという。

裁判はまだはじまっていないが、温見は余罪がかなりあり、判決は重くなるらし

い。高偏差値の国立大に在籍していたのは事実だが、女子学生への盗撮行為がばれて退学になっていた。いっしょにバイトをしているときは特に怪しい印象はなかったただけに、ひとは見かけによらないと身にしみてわかった。

考えてみると麻莉奈が「きつね」でバイトをはじめたのは、温見がきっかけだ。麻莉奈は大学主催の歓迎会のとき、友人の学生に会いにきたという温見と話し「きつね」の求人を知ったといった。友人の学生はむろん嘘で、彼女をバイトに誘うのが目的だったのだろう。

温見は麻莉奈の実家の郵便物を調べて、彼女が冥國大に入学することを知り、この街に引っ越したと供述した。

「温見は麻莉奈ちゃんがバイトをはじめると彼女の鍵を盗んで合鍵を作ったり、スマホのハッキングを試したりしてたの」

「そういえば、はじめて麻莉奈と『きつね』にいったとき、温見さん――温見は麻莉奈のスマホを持ってて、忘れものだといって彼女にわたしてました」

温見は麻莉奈の留守を見計らって合鍵で部屋に侵入していたが、彼女がオカ研メンバーとみなかみさんの家へいったのを聞いて、室内のものを動かしたり髪の毛やヘアピンを落とすなどの怪異を演出した。髪の毛は「きつね」の女性客のものを集めたらしい。

「なんのために、そんなことをしたんでしょう」

「温見はストーカーの対象を怖がらせて快感をおぼえるタイプ。それと麻莉奈ちゃんがオカルト研究会にいるのが気に食わなかったみたい。サークルで彼氏ができるのが厭だったんじゃない」

温見は「きつね」でも怪異を仕組んでいた。オカ研メンバーが神社のお祓いから帰ってきた夜、テーブルマジックで使う極細の糸を使って焼酎の瓶を棚から落とし、スマホの自動発信（オートコール）で麻莉奈に非通知の電話をかけていた。不気味な女の声はネットで拾った音声だった。

温見の供述によれば、狐塚が口にした「きつね」での怪異——店内のものが勝手に動いたり、水道の蛇口から水がでたり——も仕組まれたものだった。

「狐塚さんはバイトが長続きしないっていってました。温見は麻莉奈を店で働かせるために、前からいたバイトを怖がらせて、辞めるよう仕向けたのかも」

「温見のようなストーカーは執念深くて巧妙よ。あいつはほかの事件で、女の子の飲みものに睡眠薬を入れたり、部屋に盗撮用のカメラを仕掛けたりしたんだけど、麻莉奈ちゃんはなにかいってなかった？」

蒼太郎はすこし考えてから、あッ、と声をあげた。

万骨と鯨岡が盗撮や盗聴の有無を調べるため、麻莉奈の部屋へいこうとした夜、彼女は気分が悪くなってトイレに駆けこんだ。麻莉奈はあのときノンアルのカシスソーダを飲んでいたが、あれを作ったのは温見である。

温見は自分が仕掛けた盗撮用のカメラを発見されるのを阻止しようとして、カシスソーダに薬物を入れたのではないか。事実、盗撮や盗聴の調査は延期された。温見は翌日、麻莉奈が大学へいっているあいだに部屋に侵入して自分のカメラを回収したのかもしれない。影山にそれを話すと、

「そんなことがあったのね。温見を問いただして白状させる。その前に訊きたいんだけど、温見はきみに刺身包丁を突きつけて人質にしようとしたでしょう。ところが急に刺身包丁を落として逮捕された。あのとき温見はなにかいった？」

「なにもいってません。ただ、おれの肩の上をじっと見てから、真っ青な顔になりました。それから刺身包丁を落として――」

影山は怪訝な表情で首をかしげた。温見がなにを見ていたのかわからないが、あの男こそ、なにかにとり憑かれていたのかもしれない。

洗濯物を干し終えて部屋にもどると、隣室からテレビの音声が聞こえてきた。きょうは日曜なので生田千鶴子は部屋にいるらしい。生田と顔をあわせないよう外出時と帰宅時は用心していたが、おとといの夜、玄関のドアを開けたら生田と鉢合わせしたから肝を潰した。この状況では逃げるに逃げられない。

深層真理科学研修所から逃げたのを咎(とが)められるかと思ったが、生田は大きな丸顔で微笑して、このあいだは残念だったわね、といった。

「あなたはうちで研修したいのに、あなたに憑いてる悪霊が邪魔をして」

「えッ」

「悪霊は、うちの先生の力を恐れて、あなたを走らせたのよ。あなたは自分でわかってないでしょうけど、よくあることよ」

「はあ――」

「こんどはしっかり悪霊を祓うから、うちの研修生になれる」

「いや、あの、研修するつもりは――」

「わかってる。いまも悪霊にしゃべらせられてるんでしょ。今夜からあなたのためにお祈りしてあげるから大丈夫」

そんなことをされたら、よけいに大丈夫ではない。生田は外出するらしく廊下を歩いていったので、ひとまず胸を撫(な)でおろした。が、今後もなにかありそうなのが気がかりだった。

スマホで音楽を聴きながら部屋の掃除をしていると、万骨からラインが送られてきて「定例会は場所を変更します。夜七時『きつね』に集合」とあった。

きょうの定例会は、万骨の部屋でおこなう予定だった。しかし日曜だから「きつね」は休みのはずだと思ったら、まもなく麻莉奈から電話があった。

「あとで歌蓮と遊馬とお昼食べるんだけど、蒼太郎もこない？」

「うん、いくよ」

「歌蓮がめちゃくちゃ美味しいお好み焼屋見つけたんだって。そこでいい？」

「うん。あ、それと会長のライン見た？」

「見た。定例会『きつね』に変更でしょ。なんでだろ」

変更の理由はわからなかったが、麻莉奈の明るい声を聞くとうれしい。以前やつれていた顔はもとにもどり、涼しげな瞳に輝きがある。

温見が警察に連行されたあと、みんなは事情聴取のために「きつね」で待機した。そのとき麻莉奈は涙ながらに詫びた。

「ほんとうにごめんなさい。ここにいるみなさんを疑うようなことをして。このなかに犯人はいないと思いたかったけど――」

気にせんでよか、と御子神がいって、

「怪談会を思いついたのは、わしじゃ。こういう事件では関係者全員を疑うのが基本。ひとりでも例外を作ると、犯人を見落とす危険があるからの」

でも、と遊馬がいった。

「先生は会長のことを疑ってなかったっすよね。麻莉奈の部屋に侵入した犯人の映像を会長に送ったんだから――」

「関係者全員を疑うというたやろ。もし万骨が犯人なら、そんな映像を見て刑事である父親に捜査を依頼するはずがない。自分に捜査がおよばないよう、なにか画策するはずじゃ」

もっとも、と御子神は続けて、

「万骨は、はじめから麻莉奈の自作自演に気づいておった」

「どうやって気づいたんすか」

御子神が眼でうながすと万骨は口を開いた。

「あの夜、麻莉奈はコンビニへいってもどってきたら、ローテーブルがひっくりかえってたと証言した。そのあと部屋に置き忘れたスマホを見て、動体検知の通知に気づき、防犯カメラの映像を再生した。それでまちがいないね」

麻莉奈はうなずいた。それが事実なら、と万骨はいって、

「防犯カメラは動体検知で作動するのに、ローテーブルがひっくりかえるところが映ってないのはおかしい。それと防犯カメラの映像はナイトビジョンのモノクロ映像だったけど、ちょっとコンビニへいくくらいで部屋の照明を消すだろうか。その二点が不自然だと思った」

さすが会長です、と麻莉奈はいって、

「ローテーブルがひっくりかえってたといったのは、なにか異変が起きたほうが次の展開――幽霊の映像にリアリティがでると思ったからです。部屋の照明を消したのも、幽霊をリアルに見せたいのと、わたしが変装してるのを見破られないようにと――」

あらためて万骨の観察眼に驚かされたが、もうひとつ驚いたのはみんなにほめられたことだ。刺身包丁を手にした温見にひるまず、正面から立ちむかったのはすごいという。自分としては立ちむかったわけではなく、怖いのに足が勝手に前へ進んだだけだ。みんなにそう説明したが、

「おまえの迫力にびびって、温見は包丁落としたんだよ」

「蒼太郎にあんな勇気があったなんて思わなかった。マジかっこいい」

「わいも感心したわ。あのクソ度胸は、うちのおとんとええ勝負や」

遊馬と歌蓮と鯨岡は口々にいい、御子神と万骨と狐塚にもほめられた。渋原はアカハラの告発を恐れているくせに、もったいぶった口調で、

「蒼太郎くんの活躍に免じて、オカルト研究会の解散はひとまず見送ろう」

麻莉奈はうるんだ眼で蒼太郎の手を握り、ありがとう、といった。

「蒼太郎が守ってくれなかったら、わたしが襲われてたかも」

温見が刺身包丁を落とすのが、あと何秒か遅かったら失禁していただろう。みん

なの誤解で株はあがったが、勇気など皆無だったのは自分でわかっているだけに釈然としなかった。

蒼太郎たち四人はお好み焼を食べたあと、カフェでコーヒーを飲んだり街をぶらついたりして時間を潰した。日曜とあってカップルや家族連れが行き交う通りを、まばゆい陽射しが照らしている。麻莉奈は肩をならべて歩きながら、

「わたしの部屋に誰かが侵入してるってわかってから、考えたの」

「なにを」

「こんなとき、宇野千代ならどうするだろうって。ふつうは引っ越すだろうけど、あのひとはきっとちがう。みんなが想像もできないことをやると思ったの」

「それが幽霊の自作自演に結びついたってこと？」

「そう」

「宇野千代って、すごくポジティブだよね」

「ポジティブどころじゃないよ。宇野千代はあるとき、小説で心中の場面を書くのにアイデアが浮かばず悩んでた。ちょうどそのころ、新進画家だった東郷青児が海軍少将の令嬢と心中をはかったの。ふたりは刃物で首を切ってからガス自殺をしようとしたんだけど、未遂に終わった。宇野千代はその事件を知ると、面識もないの

に東郷の自宅へ取材にいって、そのまま同棲しちゃったの」

「マジで？」

「うん。宇野千代は、はじめて東郷の自宅に泊まった夜、心中未遂の血がこびりついてるガビガビの布団に平気で寝たんだって」

「うわー、ありえない」

「でしょう。宇野千代は思いついたら即実行のひとなの」

「それで後悔しないのかな」

「しないと思う。くよくよしてたら、九十八歳まで長生きできないよ」

「おれも見習おう。すぐくよくよするから」

おい、と声がして、後ろを歩いていた遊馬に背中をつつかれた。

「なにいちゃいちゃしてんだよ」

「そうよ、ツーショット禁止。はい交替」

歌蓮が前にでてきて麻莉奈と入れかわり、蒼太郎は苦笑した。

七時になって四人は「きつね」にいった。

オカ研メンバーが小上がりのテーブルを囲むと、狐塚が酒のつまみや料理を運んできた。蒼太郎と麻莉奈は手伝おうとしたが、狐塚はそれを制して、

「おれが御子神先生に頼んで、きょうの定例会はここにしてほしいって頼んだんだ。食いものも飲みものも、おれのサービスだから遠慮なくやってくれ」

御子神は顔をだすようだが、まだきていない。狐塚は続けて、

「おれはすっかり温見にだまされてた。あいつを捕まえられたのは、御子神先生やみんなのおかげだよ。あのまま温見を雇ってたら、この店の評判はガタ落ちになるところだった」

温見は狐塚の知らないところで客の女性に声をかけ、個人情報を聞きだそうとしていたという。しかも、ときどき売上げを盗んでいたそうだから最悪だ。

温見が逮捕されて「きつね」のバイトは蒼太郎と麻莉奈だけになった。彼女とふたりで働けるのは楽しいが、狐塚はまたバイトを募集するらしい。

警察の事情聴取や中間テストがあっただけに、怪談会以来みんなで集まる機会がなく定例会はひさしぶりだ。

「きょうの議題は次の調査対象についてだけど、狐塚さんがせっかく作ってくれたから、まず料理をいただこう」

万骨が音頭(おんど)をとって乾杯すると、このあいだの怪談会や温見のことが話題になった。温見はべつとしてさ、と遊馬がいって、

「いちばんストーカーっぽいのは、鯨岡さんだよな。怪談会のとき、ガチで鯨岡さ

んが犯人だと思ったもん」

「あたしもそう思った」

「まちがいない」

歌蓮と万骨がそういったら、ぷぎーッ、と鯨岡が叫んで、

「失礼なこといわんといて。わいがストーカーやるなら、温見みたいなドジは踏まんで」

「そっちかーい」

歌蓮がのけぞった。鯨岡のTシャツには「一件落着」の筆文字がある。ふと麻莉奈のマンションのそばで、鯨岡を三回も見かけたのを思いだした。

「犯人はわたしの行動を把握できる人物――いまここにいる誰かです」

怪談会で麻莉奈がそういったとき、真っ先に鯨岡を疑った。疑ったのは申しわけなかったけれど、なぜ麻莉奈のマンションのそばにいたのか知りたい。おずおずとそれを訊いたら、ナンパやがな、と鯨岡はいった。

「あのへんのコンビニに、ごっつええ女がおるさかい」

「ごっつええ女って、もしかして夜もワンオペの――」

蒼太郎はそこまでいって絶句した。歌蓮が眼を見開いて、

「黒い髪がぼさぼさで度の強いメガネかけてて――」

「せやせや」

鯨岡は満足そうにうなずいた。そういえば鯨岡の家へいったとき、いま恋活してるねん、といった。マジか、と遊馬がつぶやいて、

「あのスーパー塩対応の子っすか」

「せやせや」

「こういっちゃ悪いけど、あの子のどこがいいんすか」

「ぜんぶやがな。あれくらい心の闇が深くないと、張りあいがないわ。あの子とこんどデートするよってに楽しみや」

鯨岡は邪悪な表情になって、ぐひひひ、と笑った。

割れ鍋に綴じ蓋、蓼食う虫も好き好き、といったことわざを思い浮かべていたら、ガラス戸が開いて御子神が入ってきた。またどこかで呑んできたようで、顔が赤い。御子神は小上がりであぐらをかくと、

「きのう警察署にいって影山ちゅう刑事と話したら、温見は妙なことをいうとったらしい。蒼太郎に刺身包丁を突きつけて人質にしようとしたとき――」

蒼太郎の肩の上に黒い着物姿の老人が浮かび、鋭い眼をむけてきた。温見はそれが恐ろしくて、思わず刺身包丁を落としたという。黒い着物姿の老人と聞いて、蒼太郎はぎくりとした。

中学一年のとき、放課後の教室で同級生とコックリさんをして、はたちで死ぬと予言された。その夜、生まれてはじめて金縛り（かなしば）に遭（あ）い、黒い着物姿の老人があらわれた。温見が見たのがおなじ老人とは限らないが、偶然にしても不気味だった。麻莉奈はオカ研に入ってはじめての怪談会で、蒼太郎が黒い着物姿の老人の話をしたのをおぼえていて、

「あのとき蒼太郎は、そのおじいさんを死神だと思ったっていってたよね」

「うん。はたちで死ぬってコックリさんにいわれた晩にでてきたから――」

「死神じゃなくて、蒼太郎を守るためにでてきたんじゃない？　こんどだって、そのおじいさんにあぶないところを助けられたんだから」

「そうよ。蒼太郎のご先祖さまの霊かもよ」

と歌蓮がいった。そういわれると、そんな気もしてきた。手酌（てじゃく）で冷酒を呑んでいた御子神にどう思うか訊いたら、知らん、とにべもなくいって、

「ただ霊でなくても、ご先祖さまはごく身近におる」

「ほんとですか」

「ガイウス・ユリウス・カエサル――俗にいうジュリアス・シーザーが暗殺されたのは紀元前四十四年やが、シーザーが死ぬ寸前に吐いた空気分子を、わしらは呼吸するたびに吸いこんでおる」

「まさか——」

「人間は息を吐くたび、〇・五リットルの空気を排出する。シーザーが吐いた最期の息は多めに見て一リットル、一リットルの空気には約二百五十垓の分子が含まれる。垓は数の単位でいえば億、兆、京の次、十の二十乗という膨大な数じゃ。その分子は一、二年で地球全体に拡散し、いまも大気中に存在する。人間は四秒に一回の割合で呼吸するけん、われわれはシーザーが最後に吐いた空気分子を毎日二万回吸いこむことになる」

「すぐには信じられない話ですね」

「面倒な計算は省くが、これは事実じゃ。おなじ理屈で、わしらはご先祖さまが最期に吐いた息も吸いこんでおるし、わしらの肉体を構成する分子のなかに、ご先祖さまの肉体やった分子もたくさんある。歴代のご先祖さまは、みんなのごく身近におるちゅうことよ」

つーことは、と遊馬がいって、

「おれが吐いてる息の分子も、みんなは吸いこんでるんすね」

「まあ、そうなるの」

「じゃあ、げっぷとかおならも」

「やだ。もうやめて」

歌蓮が顔をしかめた。

この世界は人間ひとりひとりから人種や民族や国家まで、細かく分断されているように見える。過去現在未来、時間だってそうだ。けれども二千年以上も前に死んだシーザーが吐いた空気がいまも空中に漂っているのなら、ミクロの単位では、みんなつながっているのかもしれない。

ふとガラス戸が開いて白髪頭の男が入ってきた。不動産会社社長の石黒正雄だった。おお、きたか、と狐塚がいってこっちをむくと、

「おれが呼んだんだ。石黒がみんなに話したいことがあるっていうんでね」

石黒はカウンターの椅子に腰をおろした。なにか呑むかい。狐塚が訊いたが石黒は手を振って、話をしたら、すぐに帰る、といった。

「この前、うちの物件を学生さんたちが調査にいっただろ。狐塚から聞いたんだけど、あの家に住人が居つかず、三度も自殺があったのは超低周波不可聴音とかいうのが関係してるんだって？」

「低周波音の測定結果と立地条件からみて、無関係ではないかと――」

と万骨がいった。石黒はうなずいて、

「あの家に入ると気分が悪くなるのは、超低周波不可聴音のせいかもしれん。そこで、おれは考えたんだ。要するに音が原因なら、隣の工場と公園のむこうの工場に

るんじゃないかってね」

石黒はリフォームの工事をはじめるにあたり、特に湿気が多い仏間の畳を剥がしてみた。すると床板や根太と呼ばれる角材が腐っていた。蒼太郎は仏間の畳に、踏んだらへこむところがあったのを思いだした。石黒は続けて、

「これじゃどうしようもないから業者を呼んで、床板や根太を撤去させた。そしたら、そこに井戸があった」

「井戸？　湿気の原因はそれですね」

「ああ。木の蓋はあったけど、それも腐ってた。石積みの古い井戸よ。なかは埋めてなくて水が溜まってた。埋めるにしても井戸のなかをきれいにしなきゃならんから、ポンプで水を抜いたら――」

井戸の底には白骨化した屍体があった。警察の調べでは、屍体は男性で死後四十年以上が経過しており、死因は不明だという。

「おれは失踪した最初の住人じゃないかと思うんだが、よくわからん」

店内の空気が急に重たくなった。いつのまにか両腕に鳥肌が立っている。それだけじゃないんだ、と石黒はいって、

「あの家に警官が何人も出入りするから、近所の連中が見物にきた。そのなかには

あさんがいて、ここはみなかみさんの家じゃっていう。そこの学生さんもそういってたんで、どういう意味か訊いたら――」

その老婦人は、みなかみさんは水神さん――水神（すいじん）さまのことだといった。仏間の床下にあったのは、かつて水神を祀った井戸だった。

「話はそれだけさ」

石黒は立ちあがった。

「あの家をどうするかはまだ決めてないが、学生さんたちのおかげでいろいろなことがわかった。礼をいうよ」

ありがとう。石黒は頭をさげて店をでていった。

予想もしなかった展開に誰もが沈黙するなかで、なぜか万骨だけが眼を輝かせている。鯨岡がわれにかえったように深々と息を吐いて、

「わいにしては珍しく怖いと思うたわ。会長も怖かったんちゃう？」

万骨は幽かに笑みを浮かべた。

「なに笑てるねん。笑うとこちゃうやろ」

「うん。でも、うれしいんだ」

「なにが？」

「霊魂は存在するかもしれない。死後の世界もあるかもしれない。そう思えること

がだよ」

「会長らしゅうないな。ＳＰＲみたいに徹底的に疑うんやろ」

「疑ってるよ。疑ってるけど、霊や死後の世界はあってほしい」

万骨、と御子神がいった。

「そろそろ、みんなに話してもええんやないか」

万骨は笑みを消すと畳に視線を落としたが、すこし経って顔をあげ、

「高一の夏、ぼくは風邪をこじらせて肺炎になり、二週間ほど入院した。そのとき病院で知りあった子とつきあうようになった。彼女はべつの高校の一年生で難病を患って入退院を繰りかえしてた。それなのに性格はすごく明るくて、愚痴ひとつこぼさなかった」

彼女は通学に無理がないよう、大学は実家から近い冥國大学を志望していた。万骨の高校は高偏差値の進学校だっただけに両親は猛反対したが、それを押し切って冥國大学を選んだ。

「いつどうなるかわからないから、彼女といっしょにいられる時間を大事にしたかったんだ。でも入学式の前に――」

彼女は容態が急変して亡くなった。万骨はもともとオカルトに興味があったが、それから一層のめりこんでオカ研を結成したという。

「もし霊魂が存在するなら——もう一度、彼女に会いたいんだ」

蒼太郎は胸にこみあげてくるものを感じた。

万骨は彼女に会いたくて霊についての研究を続けたせいで、二年も留年したのかもしれない。わざわざ事故物件に住んでいるのも、霊の存在を確かめたかったからではないか。

「いい話だけど、切ねえなあ」

狐塚はしんみりした表情でつぶやいた。麻莉奈は指で目頭を押さえ、歌蓮はしゃくりあげている。遊馬は拳で眼をこすり、鯨岡は味付海苔を貼ったような眉毛を八の字にした。

「ごめん。湿っぽいことといって——」

万骨は頭をさげると、さわやかな笑顔になって、

「でも、みんなに話せてすっきりした。先生のおかげです」

御子神はグラスの冷酒をぐびりと呑んで、宙を見つめた。万骨は続けて、

「ところで鯨岡くんとも話したんだけど、夏休みのあいだに、みんなでまたキャンプにいきたいんだ。前回は山だったから、こんどは海で——」

「やったーッ」

歌蓮が叫んだ。麻莉奈は手を叩いて、

「海、いいですね」

「いこういこう。ぜってーいく」

遊馬がはしゃいだ声をあげた。ぼくもいきます、と蒼太郎はいった。いかがわしいことを考えてはいけないと思いつつ、麻莉奈と歌蓮の水着姿を想像して頰がゆるんだ。それで、と遊馬がいって、

「どこの海にいくんすか」

「湘南やがな。なあ会長」

「うん。湘南中部にある茅ヶ崎の海辺に、いわくつきの廃墟があって——」

「そっかーい」

歌蓮がまたのけぞって、みんなは弾けるように笑った。

夏はまだ、はじまったばかりだ。

〈了〉

PHP文芸文庫

「贋物霊媒師」シリーズ

阿泉来堂 著

贋物霊媒師

櫛備十三のうろんな除霊譚

「どうか、ここから消え去って
いただけないいだろうか、
この通りだ」
霊を祓えない霊媒師・
櫛備十三が奔走する
傑作ホラーミステリー！

贋物霊媒師2

彷徨う魂を求めて

ガールズバーに
夜な夜な現れる霊、
学校に伝わる怪談の真相……
祓えない霊媒師・
櫛備十三が活躍する
人気ホラーミステリー第2弾！

宮島未奈

Miyajima Mina

時代は変わっても、思春期に感じる気持ちは変わらない

「島崎、わたしはこの夏を西武に捧げようと思う」。書き出しのこの一文で、のっけから読者を主人公・成瀬あかりの独創的な世界へと引き込む『成瀬は天下を取りにいく』。

物語の重要な舞台となるのは、滋賀県大津市に実在して二〇二〇年八月三十一日に営業を終了した百貨店である、西武大津店だ。

マイペースでわが道をいき、「二百歳まで生きる」などスケールの大きな目標を語る風変わりな成瀬あかりと、自称「凡人」としてそばで見守る島崎みゆきが、ローカル局の生放送に映り込むことだけを目的に、ひと夏毎日同じ時間に西武大津店に通う。奇想天外な挑戦の中に、この年齢の少女特有のみずみずしい感性と青春のきらめきが織り込まれている。

作者の宮島未奈さんは、本作に含まれている一篇「ありがとう西武大津店」で「女による女のためのR-18文学賞」史上初となる大賞、読者賞、友近賞の三冠を達成。同作を含む『成瀬は天下を取りにいく』は発売前より各

取材・文＝江藤詩文

『成瀬は天下を取りにいく』
新潮社
定価：1,705円（10％税込）

みやじま　みな
1983年静岡県富士市生まれ、滋賀県大津市在住。2018年、「二位の君」で第196回コバルト短編小説新人賞を受賞（宮島ムー名義）。2021年、「ありがとう西武大津店」で第20回「女による女のためのR-18文学賞」の大賞、読者賞、友近賞をトリプル受賞。同作を含む連作短編集『成瀬は天下を取りにいく』でデビュー。現在は続編として、高校を卒業した主人公・成瀬あかりのその後を執筆中。

界から称賛され、韓国での翻訳出版が決定、国内では発売後即重版がかかるなど、異例づくしのデビュー作として注目を集めている。
突飛なシチュエーションと、国境を越えて誰もが魅了される成瀬という個性的なキャラクターはどのように生まれたのか。宮島さんに、いまの思いをうかがった。

書き進むうちに成瀬が動き、しゃべりだす

――海外からも翻訳出版のオファーを受けるなど、いまの成瀬には〝天下〟ならぬ〝世界〟を取りにいく勢いがありますね！　第一話「ありがとう

西武大津店」で、成瀬は西武大津店の閉店まで毎日通います。このユニークな舞台設定はどこから着想を得たのでしょうか。

宮島　本作を書くにあたって、まずどんな設定なら読み手におもしろがってもらえるかを考えました。

私の出身は静岡県富士市なのですが、静岡では、ローカル局が放映している番組の中に静岡駅から毎日中継するコーナーがあり、そこに一般の人たちが映っているわけです。それを見ていて、もし毎日わざと映り込みに行く人がいたらおもしろいなと思いつきました。ちょうど構想を練っている時は西武大津店の閉店直後で、地元の大津では大きな話題になったので、そこを舞台に決定。次に毎日テレビに映り込む人物ですが、大学生や高校生がやるにはやや子どもっぽい。そこで成瀬という女子中学生を主役にストーリーを構成していきました。

――成瀬は西武大津店に毎日通い詰めたほか、「M-1グランプリ」に出場するために島崎とコンビを組んで本気で漫才に取り組んだり、髪の生え方を検証するためにスキンヘッドにしたりと、他人の目から見ると破天荒な行動にも、自分らしく淡々と取り組むキャラクターがとても印象深く魅力的です。成瀬にはモデルとなった特定の人物がいるのでしょうか。

宮島　特にモデルはいないです。書き始めた時点で、主人公はユニークな行動をするちょっと変わった女の子にしようとは考えていました。その場合、成瀬の特異性を表現するのに、本人が語るよりも他者の視点から描いた方が読者に伝わりやすいので、成瀬との対比を狙って、フラットな視点を持った普通の女の子として島崎を登場させました。成瀬は成績も優秀ですが、その独自性を周囲が受け止めきれずクラスでは浮いた存在です。一方の島崎は、スクールカーストの上位でも下位でもなく、周囲にすんなり溶け込み誰とでもうまくやれるタイプ。そんなふたりを書き進めるうちに、自然と登場人物が動き出しました。成瀬の独特の口調も、こう言うと超常現象みたいに聞こえるかもしれませんが(笑)、成瀬というキャラクターを動かした時に、頭の中で彼女が話す声が聞こえてきて、それを書き留める作業をしたという感じです。

私よりも成瀬が滋賀を愛しているんです

――成瀬が高校一年生になった第四話「線がつながる」では、スクールカーストの下位グループにいて成瀬に苦手意識を持っている大貫(おおぬき)かえでが登場。中学生から高校生という思春期ならではの、苦さや痛みも伴った繊細さがなまなましく描かれています。まるで現在のティーンエイジャーが語っているようなリアリティはどう得たのですか。

宮島　私は小学生かその前あたりからの記憶があまり薄れておらず、思春期の頃の気持ちも鮮明に覚えています。だからその時の気持ちをそのまま書きました。一方で、現在の私は思春期をとうに過ぎていますから、今の方たちが読むと古く感じるかなという一抹の不安はありました。ですが、読んだ方が世代を問わず共感してくれていると聞いて、時代は変わっても思春期に感じる気持ちはあまり変わらないのかなと思っています。

――本作は成瀬をはじめとして、成瀬のまわりの登場人物たちも魅力に溢れていますが、彼女たちが暮らす滋賀という土地もまた魅力的に描かれています。ときめき坂、学習船「うみのこ」、ミシガンクルーズなど小説に登場するものが現実にあり、作品を通して大きな〝滋賀愛〟が感じられ、滋賀にゆかりがなくても旅をしてみたくなりました。

この作品には滋賀や大津の魅力を発信するといった意図も込められていたのでしょうか。

宮島　物語の舞台を大津にしたのは、いま私が住んでいるからです。伊坂幸太郎さんが仙台を描くように、暮らしている土地を舞台に小説を書くことは、私にとって自然なことでした。もし私が別の土地で暮らしていたら、その土地を舞台に書いていたと思います。いま〝滋賀愛〟とおっしゃいましたが、私は滋賀出身ではありませんし、もう少しフラットにこの土地を捉えています。それに、私はあまり積極的に遠出をするタイプではないため、滋賀といっても暮らしている大津市を中心にごく一部しか知らないので、滋賀全土を語るのはおこがましいとも思っています。とはいえ自分が暮らしている土地を好きだと毎日が楽しいですよね。なので、大津での暮らしを楽しみ、大津を舞台に作品を書いているという感じでしょうか。

ただし成瀬は大津で生まれ育ち、自分の故郷を愛しています。作品を読んで〝滋賀愛〟を感じられたのは、私ではなく成瀬がそうだからかもしれませんね。

時代を切り取った歴史小説という側面も

――小説はフィクションですが、この作品には西武大津店からお笑い芸人まで、現実に存在する固有名詞がたくさん登場して、現実とフィクションの世界がオーバーラップするような不思議な感覚を覚えました。コロナ禍の年のストーリーだとわかる描写もいくつもありますね。

宮島　そういう視点でいうと、史実に基づいて登場人物が動くという点で、私はこの作品はものすごく新しい時代にフォーカスした一種の歴史小説でもあると思っています。二〇二〇年八月に西武大津店は閉店して、今はその建物自体は残っていません。大津の人たちにとって大きな存在だった西武大津店の姿をカバーイラストで残し、物語として伝えることができたことには意味があると思っています。また、コロナ禍という歴史に残る数年間の暮らしぶりも、何年か後に読むと興味深いのではないでしょうか。これらはほんの三年前のことですが、すでに昔のことになりつつありますよね。

——周囲に溶け込めず浮いているうえ、コロナ禍で日常生活に数多くの制約がかけられている成瀬。それなのにこの作品は全体的におかしみと言いますか、クスッと笑いたくなるような楽しさと明るい光に満たされています。ただ物語として、成瀬の生きづらさを描くこともできたのではないでしょうか。

宮島　もちろんそういった角度から物語を構成することもできたと思います。コミュニケーションに苦しんだり、自分の居場所に居心地の悪さを感じたりといった重たいテーマを扱った小説は数多くあり、たくさんのすばらしい書き手がいらっしゃいます。そうであるならば私は最後まで明るく楽しい物語を書き切りたいと思いました。

私は子どものころから〝こち亀〟（漫画『こちら葛飾区亀有公園前派出所』）が大好きなのですが、主人公の〝両さん〟（両津勘吉）は、周囲の人を巻き込んであたふたさせることをしでかして、それがストーリーのおもしろさに繋がっているんですよね。成瀬は、両さんのタフなおもしろさに影響されているかもしれません。

――成瀬は女子中学生版の両さんですか（笑）。それは成長しても、いわゆる常識的に小さく収まることがなさそうで将来が楽しみです。

成瀬の続編はどのように展開していくのでしょうか。また今後はどのような作品を書きたいとお考えですか。

宮島　今は続編のオファーをいただき、高校を卒業して大学へ進学した成瀬を書いています。成瀬は今も大津で暮らし、京都大学に通学しながら平和堂（スーパーマーケット）でアルバイトもしているんですよ。大学を卒業して社会人になる成瀬も描き続けるつもりです。

現在は成瀬の影響もあり、青春小説の執筆依頼を多くいただいています。私は筆があまり早い方ではなく、忙しい状況もあまり好きではないので、少し先にはなりますが、恋愛小説やミステリー、ファンタジーなど、読者のみなさんが「こういうものも書けるのか」と驚いて下さるような作品も書いていきたいと思っています。

PHP文芸文庫

伝言猫がカフェにいます

標野凪 著

「会いたいけど、もう会えない人に会わせてくれる」と噂のカフェ・ポン。
そこにいる
「伝言猫」が思いを繋ぐ？
感動の連作短編集。

きたきた捕物帖 第四十三回

気の毒ばたらき

その九

宮部みゆき
Miyabe Miyuki

イラスト：三木謙次

九

日が暮れるとすぐに、北一は「長命湯」の釜焚き場に行くことにした。

「夜遅くまで見張ることになるんでしょ。お弁当をこしらえておくから、出かけるついでに取りにおいでなさいよ」

おみつのお言葉に甘え、冬木町の貸家に立ち寄ってみると、立派な二段重を持たせてくれた。ちゃんと背負えるように包んである。

「北さんも釜焚きの子も、一生でいちばんお腹が空く年頃だもんね。しっかり腹ごしらえして、お役目を果たしてちょうだい」

お役目か。今さらのように、北一は気恥ずかしくなった。今夜の張り込み、――ホントなら、沢井の若旦那にご注進して、いいように取り計らっていただく方がいいんだ、きっと。

そう思う反面、火事で住まいを失い、心細い思いをしている仮住まいの人びとから金品をくすねてゆくような不届き者を、この手で捕らえることができるかもしれない――と思えば、胸が弾んでしまうのだ。

いや、正直に言おう。北一が一人だったなら、胸が弾むよりも先に腰砕けになる。だが喜多次が一緒ならば百人力、二百人力だ。何にも怖がることはない。

北一が釜焚き場に顔を出すと、軒下ほどの高さまで積み上げてあるごみの山の陰から、喜多次がお化けみたいにすうっと出てきた。

「うわ！」

毎度思うのだ。頼むから、音たててくれよ。

ざんばら髪に顔を隠し、案山子みたいに痩せこけたこいつは、薄暗がりのなかで鉢合わせすると、この世のものとは思えないのである。

喜多次はぼそっと呟いた。「……飯」

北一の背中の重箱が匂うのか。

釜焚き場には、焚き付けに使う様々なごみが集められているので、はっきりいって臭い。一年でいちばん爽やかな秋風が吹く季節や、全てのものが凍り付いてしまう真冬のまん真ん中であっても、いくらか臭いが感じられるくらいである。それでも、こいつは弁当の旨そうな匂いを嗅ぎ取ることができるのか。

「鼻がいいんだなあ」

驚くよりも呆れながら、北一は背中の包みをおろした。

「匂いはわからねえ」

喜多次は言って、両手で重箱を受け取った。

「おまえが背負ってくるなら、夕飯だろうと思っただけだ」

ん？　それは、北一が何かを背負っているのを見たということか。宵の口とはいえ、焚き口のまわり以外は闇に沈んでいる、この湯屋の裏っ方で。じゃあ、目がいいんだ。

「フクロウみたいな目だねえ」

「いや、違う」

釜のなかでは、ごうごうと火が燃えている。その赤みがかった光のなかで、喜多次はざんばら髪の頭を軽く横に振った。

「重箱の分だけ、おまえの足音が重かった」

　勝手知ったる釜焚き場だが、北一は思わずつまずいてしまった。そのへんに立てかけてあった何かに、おでこをぶっつけた。

「おいらの足音の重さの違いがわかるってのか？」

「うん」

　喜多次は地べたに座り込み、重箱の方を手近にあった空き樽（あきだる）（横っ腹に穴が空いている）に載（の）せて、包みを解（ほど）き始める。

「なんでそんなに吃驚（びっくり）してるんだ。おまえの冬木町のおかみさんだって、きっとそれぐらいのことはできるはずだぞ」

前回までのあらすじ

北一（きたいち）は、岡っ引き・千吉（せんきち）親分の本業だった文庫の振り売りをしている。「長命湯」で釜焚（かまた）きをしている喜多次（きたじ）は、よき相棒だ。ある日、万作（まんさく）・おたまの文庫屋が火事になり、焼け落ちた。北一が、火をつけたのが女中のお染（そめ）だと聞き、疑念を抱き、調べ始めると、喜多次から、湯屋の二階で火事について話す胡乱（うろん）な輩（やから）がいると聞き及ぶ。そんな折、北一が家を失った者たちのところへ行くと、親切そうな男が皆に声をかけていた。千吉親分のおかみさんの許（もと）を訪ねた北一は、事件解決の糸口を得る。

言われて、北一はあっと思った。確かに、こいつの言うとおりだ。冬木町のおかみさんは、目が見えないけれど、それを補っておつりがくるくらいに耳や鼻がいい。

「お、豪勢だ」

重箱の中身を見て、喜多次は舌なめずりする。「里芋とイカの煮物だ。卵焼きもある」

おみつの卵焼きは甘みが強い。その隣には、北一が好きな魚の味噌焼きも詰めてあった。

湯殿には客が入っており、話し声と桶が鳴る音がする。夜がまだ浅いこの時刻に来る客は、身体を使って汗をかく仕事をしている者が多い。長命湯は場末のおんぼろ湯で、ろくでなしの集まる吹きだまりではあるが、堅気のお客が一人も来ないわけではない。今、湯殿から聞こえてくる声の主は二人、指が曲がらないほど大きくなって固まってしまった肉刺をどうにかしたいとしゃべり合っているから、何か手職の職人だろう。

今夜ここで胡乱な会合をするはずの連中は、もっとずっと遅い時刻におでましのはずだ。北一も気をほぐして、重箱の中身を眺める。ここまで近くに寄ると、煮物のいい匂いを感じた。

二段重の下の段には、握り飯とおいなりさんが並んでいた。おいなりさんの油揚げの味が隣の握り飯に染みてしまわぬよう、青い葉っぱで仕切りをつけてある。

「こいつは食えねえ」

　葉っぱを引っ張り出して、喜多次が呟く。

「知ってるよ。けど、せっかくだから、そのまま挟んでおきなよ」

　弁当や折り詰め料理に使われるこうした葉っぱの類いも、青果問屋が扱う商いものだ。八百屋ではなく、料理屋や仕出屋、弁当屋に卸す。それをおみつがさりげなくあしらっているのは、もちろん、松吉郎との仲があるからだろう。以前は、何かで弁当を詰めてもらったとき、こんな洒落た葉っぱは使っていなかった。

　さっそくがっつき始めている喜多次の手から、北一は二段目のお重を取り上げた。

「何すンだ」

「今夜は遅くまでおいらがうろうろするから、爺ちゃん婆ちゃんたちに挨拶してくる。煮物と焼き物の方を食ってろ」

　湯屋の入口の方へと回ると、爺ちゃんが番台で居眠りしていた。婆ちゃんたちは奥の小座敷にいて、ちょうど夕飯を食べようとしているところだった。

　北一は何度もこの長命湯を訪ねているけれど、ここに住んでいて働いている爺ちゃん婆ちゃんたちの顔と名前を覚えきれない。というのは、主人の（ひどく耳の遠い）爺ちゃんと、おかみである（目が衰えている）婆ちゃんの夫婦を除くと、あとの何人かはしばしば替わるからだ——ということにさえ、気がついたのは最近だ。

　最初のころ、北一の顔を見ると何かと親切にしてくれた女中の婆ちゃんは、このところ見かけない。かわりに、えらくてきぱきと掃除と洗いものをしている（他の婆ちゃんたちと比べれば）若めの婆ちゃんがいる。しかし今、夕飯を囲もうとする面々のなかには、主人夫婦とまた別の爺ちゃん婆ちゃんがいて、若めの婆ちゃんはいなかった。

　四人揃って、重箱の中身に大喜びしてくれたものだから、北一は思った以上に大盤振る舞いで、握り飯とおいなりさんをお裾分けすることになってしまった。それに気が引けたのか、新顔の婆ちゃんが奥に入り、形も大きさも赤ん坊の頭ほどの何か真っ黒けなものを持ってきて、手近にあった手ぬぐいでくるんで差し出してきた。

「これ、釜の火で焼いて食べな」

「ありがとうございます。おいら、今晩は遅くまで喜多次と一緒にいるもんで……」

「いいよ、いいよ。ついでに終い湯に入っておいき。泊まったっていいよ」と、おかみの婆ちゃんは歯のない口で笑った。

湯屋の入口から外に出ると、ちょうど新たなお客が来たところだった。駕籠かきだろうか、体格のいい無精髭の二人連れだ。

すれ違いざまに、その二人が口を揃えて、

「う、黴くせえ！」と声をあげた。

言われるまでもなく、北一も「黴くせえ！」と感じた。重箱と真っ黒けな正体不明のものをなるべく近づけないようにしながら、湯屋の建物の裏手に戻った。

煮物や焼き物、卵焼きは、あらかた食い尽くされていた。

「……あんたはいつでも食わせてもらえるだろ」

北一の恨みがましい目つきを、喜多次は鼻であしらった。で、

「その黴の塊はどうした？」

「くれたんだ。釜の火で焼いて食べろって」

すると、喜多次が笑い出した。痩せこけてぺったんこの腹を抱えるようにして、けっこうな大笑いをした。

――こいつ、こんなに笑うんだ。

驚きに気をとられて、北一は食いものの恨みを忘れてしまった。

「こいつはいったい何なんだい？」

赤ん坊の頭ほどの真っ黒けな塊。北一がそれを持ち上げて訊ねると、喜多次はま

だ口元を笑わせながら、「鏡餅」と答えた。

「え、おかがみ！」

今はもう霜月（十一月）も終わろうとしている。その次は師走だ。師走といったら正月の手前の月だ。鏡餅は正月の供えものだ。ということは、

「一年近くも前の鏡餅かぁ？」

「うん。一年近くほったらかしで、黴と埃にまみれてるな」

「鏡開きの日に、汁粉にしなかったのかよ」

「汁粉は女中の婆ちゃんがつくってくれた。そいつは別口のお鏡で、余ってたんだろう」

別口の鏡餅ってのは何だよ。そんなにいくつも飾るものなのか？

「誰かが持ってきたんだろうさ。ここは、この界隈の爺ちゃん婆ちゃんたちの木賃宿みたいなもんで、食い扶持になりそうなものを持ってくるか、雑用をして働くなら、好きなだけ住んでいいんだから」

あ、やっぱりそうなのか。北一の思い込みではなく、主人夫婦以外の爺ちゃん婆ちゃんたちは、入れ替わりがあるのだ。

「おおらかなんだね」

「困ったときにはお互いさまだって、おかみの婆ちゃんは言ってた」

　家族と喧嘩して飛び出してきたとか、雨漏りがひどくて長屋に住めなくなったとか、店賃を払えなくて追い出されたとか、倅夫婦が商いの借金をこしらえて夜逃げしてしまって置き去りにされたとか、長命湯には、様々な爺ちゃん婆ちゃんたちが頼ってくるそうな。

　去年の暮れ、浴衣一枚の恰好でここの裏庭に倒れていたという喜多次を、騒ぎもせずに拾い上げて介抱し、番屋に突き出すこともなく、そのまま居着かせてくれたこの湯屋は、（とてもそんなふうには見えないが）実は肝っ玉の据わった老夫婦の根城なのである。

　だもんで、鏡餅の一つや二つ、真っ黒けになるまで黴させたところで、苦しゅうない。

「まあ、黴と埃を引っぺがして、よく焼けば食えるだろう」

　と言いながらも、黴の塊を前に、喜多次は鼻に皺を寄せた。

「中身は餅だ。俺の国じゃあ、真冬の寒気にあてて乾かした〈さらし餅〉なんか、一年どころか四年も五年もとっておかれたぞ」

　釜焚き口の前で、手近にあった道具で真っ黒けなお鏡の表面を削り始めた。北一はそれを眺めながら、残った握り飯とおいなりさんを食った。

　そして思い出した。喜多次の生まれた国の話と、深川のどこかで稲荷寿司の屋台を出していたという、喜多次のご先祖さんのこと。大伯父さんだっけ。さらにその上の大々伯父さんか。

「……おでこさんに訊いてみようと思いついたけど、それっきりになってたな」

「何が」

喜多次はどこかから鉋を見つけ出してきて、それで餅の表面を削り出した。このごみの山には何でもある。

「茂七大親分の代のことだから、政五郎親分だって覚えてるかどうかわかんねえし、おでこさんがいちばん確かだって思ってさ」

北一は、最後の一つのおいなりさんを食っているところだった。聡い喜多次は、それで北一の考えを察したのだろう。

「俺のご先祖様のことなんか、探ったって面白くもねえぞ」と言った。

「どのくらい旨いおいなりさんだったのか、それだけでも知りてえ。おっと」

もう一つ思い出した。

「その話をしたとき、言ってたな。おいなりさんは、おまえの国の名物だって」

そんなわけがあるか、おいなりさんはどこの国にだってある食べ物だ。北一はそう考えたのだが、

「冬木町のおかみさんに訊いたらさ」

——稲荷寿司は、天保の頃に、江戸市中で売り出されたのが始まりだって、ものの本で読んだことがあるけれどね。

もっと昔から食べられていたという説もあるし、振り出しがどこなのか、最初に作った人が誰なのか、そんな細かいことまではわかっていないらしい。少なくとも文書として残ってはいない。

「おかみさんがそう言うんだから、おまえの吹いてることも、まんざら嘘じゃねえんだろう。ただ、名物って自慢するくらいなんだから、きっと豪勢なおいなりさんだったんじゃねえの？」

喜多次は鏡餅を削る手を止めて、眉をひそめた。「豪勢って？」

「飯に具が入ってるとか」

「ただの酢飯だよ。ごまを混ぜる家もあったけど」

「え。じゃあ、でっかいとか？　そのおかがみぐらいに」

「そんな大きさの油揚げがあるかよ」

かん、かん、かん。喜多次は真っ黒けな鏡餅の表面を削る。一部がぱかんと剝げて、手元に落ちてきた。鏡餅の本体にも、深い割れ目ができている。

「うへ」

「どうした？」

「中も真っ黒けだ」

喜多次が鏡餅をこっちに向けて見せた。白いところが全然ない。

「真ん中へんは無事かもしれねえ」

かん、かん、かん。それに呼応するように、湯殿のなかから桶の鳴る音が響いてくる。

「――俺の国じゃ、おいなりさんは式日の食いものだったんだ」

喜多次がこぼすように呟いた。

「しきじつ？」

「元服とか、祝言とか、そういう祝い事」

「めでたいときに、おいなりさんを食うのか」

それは……北一にとってはすごく嬉しい習いだが、その国独特の祝い事の習慣としては、かなり地味なものではなかろうか。鯛の尾頭付きとか、ちらし寿司じゃないんだぞ。

訝る北一をよそに、喜多次は続けた。「油揚げが好物の狐は、家の守り神でもあったしな」

狐が守り神？　それもまた変わってないか。人を化かす魔物だぞ。

釜の奥で何かが軽い音をたてて爆ぜた。湯殿の方から、「お～い、釜焚き。温くなってきたぞ」と声がかかった。

喜多次はするりと立ち上がり、北一に真っ黒けな鏡餅と鉋を託して、釜焚きの作業を始めた。北一は黴の臭いに閉口しながらも、ちょっとずつ鉋を使って黒い餅を削った。

そして、ついつい考えを巡らせた。

喜多次は腕っ節が強い。それは単に喧嘩に強いとか、剣術の腕が立つというのではなく、何というか——人の急所をよく知っていて、手早く相手を倒す技を身につけているという感じだ。

それと、あの耳と目のよさ。たぶん鼻も同じくらい利くのだろう。

冬木町のおかみさんは、若いころに疱瘡で目の光を失って、それからずっと毎日の暮らしのなかで少しずつ鍛錬を重ね、まるで神通力みたいなあの力を得た。喜多次もまた、生まれつきあんなふうであったはずはない。

——きっと鍛錬したんだ。いや、訓練されたのか。

初めてあいつの動きを見たとき、まるで忍びみたいだと感じた。その感じは間違っていなくって、あいつはそういうお役目を背負った家に生まれたのだろう。

狐を守り神にして、めでたい日和のご馳走に稲荷寿司を食べる、質素な家。それを考え合わせると、さっき言ってた〈さらし餅〉だったっけ、四年も五年も保つ餅にも、何だか意味がありそうに思えてくる。何があっても飢えないようにとっておく、最後の切り札の食べ物とかさ。

おみつの心遣いを平らげ、手を合わせて「ごちそうさま」と言おうとしたとき、いきなり喜多次がそばに飛んできて、北一の口を指で押さえた。こういうふうに音もなく、ただ動くのではなく「飛ぶように動く」のも、こいつの特技だ。これもまさに、忍びの技。

「しまった」と、喜多次は囁きに近い小声で言った。「この前の声の主が、もう湯に入ってる」

話し声が聞こえてきたのか。北一は焚き口の上の格子窓を仰いだ。今夜はバカに早いじゃないか。

「あのしゃべり声は、このあいだ来た三人のなかでも指南役の、いちばん若い奴の声だ。あいつだけでも、早く来る理由ができたのかもしれねえ」

「この時刻だと、まだ二階にほかの客がいるだろ？　すぐにはうろんな相談はできねえだろうに」

「これから時をつぶすつもりなのかもしれねえが……。どっちにしろ、こっちは近くでやりとりを聞きとらねえと始まらねえ」

夜が更けて、二階に他の客がいなくなってから、北一は押入に忍び込み、喜多次は天井裏に上がって連中を待つ、という段取りを考えていたのだ。

「そンなら、おいら、指南役の野郎が湯にいるうちに、二階の座敷の押入に入ってるよ」

　他の客の目をごまかすぐらい、何とでも言い訳のしようがある。だが、勇んで立ち上がろうとする北一を、喜多次は指一本できゅっと肩口を圧すだけで押しとどめた。

「それより、あんたはここで釜焚きをしてくれ」

「え。おいらが？」

「お客が熱いといったら焚くのを休んで、温いといったら焚けばいいんだ」

　そして、よく耳を澄ませていろ。

「あの若い男の声が、誰かと湯のなかでしゃべるかもしれない」

　今は黙って湯を浴びているらしく、ざぶざぶと流れる音がするだけだ。

「で、奴が湯から出たら、俺に教えてくれ」

「おまえはどうすンの」

「入口で、これからくる客を張る。指南役に合いに来る奴がいたら、無理に近づいてやりとりを聞きとるよりも、帰っていくのを待ち受けて、あとを尾けよう」

　湯殿の方からのんきな声がかかった。

「お～い、釜焚き。居眠りしてるのかぁ。日向水だぞ～」

陽気な若い男の声だ。喜多次が北一の顔を見て、片っぽの眉を吊り上げた。よし、この声か。北一は強くうなずいた。

それから四半刻（三十分）ほどして、新しい客が湯殿で、指南役の男と挨拶を交わした。

新しい客は中年の男で、口調は丁寧、商人らしく歯切れがいい。二人のやりとりを聞いていると、指南役の男がこの商人に何か作ってほしいと頼み、それが出来上がったので、ここの二階で受け渡しをして、指南役の男が商人に一杯おごる――という約束になっているとわかってきた。商人の方は湯にはつからず、すぐ湯殿を出ていった。

湯屋の二階は遊興の場であるから、店の方で酒肴の用意をする場合もあれば、近くの店から出前をとることもある。長命湯は（何度も言うが）場末のおんぼろ湯屋なので、酒肴を運んできてついでに春も売り買いする提げ重の女が商いをするには、みすぼらしすぎるのだろう。一人も寄りつかないわけではないが、かなり少ない。近所には、酒肴を手軽に調達できる、手頃な料理屋や仕出屋も見当たらない。だから爺ちゃん婆ちゃんたちがささやかな酒肴を調え、客はそれに銭を払う。

「あいつら、二階で酒を飲むって。おいらが運んでって、様子をうかがってくるよ」

「よし、頼んだ」

北一が台所の方へ回ってみると、ちょうど湯上がりの指南役が、寝間着の上に綿入れを着込んだあの若めの婆ちゃんに、熱燗と肴を頼んで二階へ上がってゆくところだった。

若めの婆ちゃんは、終い湯のあとの掃除を受け持つので、今のうちに仮寝をしていたそうなのだ。あくびをしながらも手早く干し魚を焼き、鉢に作り置きしてあった和え物を小鉢に移した。北一は熱燗をつけた。あいつらの胃の腑が火傷するといいのにと祈りながら、ぐらぐらに熱くした。

「それじゃお願いしますよ」

「あい！」

熱燗の銚子と杯、肴を二つの箱膳に入れて、そのまま持ち運ぶ。北一が梯子段を上がってゆくと、夕暮れどきから居座っている客が四人、とっくのとうに湯冷めしているだろうに、賽子博打に興じて熱くなっていた。

「ああ、酒はこっちへおくれ」

指南役の若い男は、湯上がりの上半身をさらけだし、肩から手ぬぐいをかけただけの恰好で、壁にもたれて団扇を使っていた。声を聞く前から、ああこいつだとわかった。つるりとした男前で、女形のように色白だ。背は高く、胸は薄い。力仕事はしていないな。それと、声は若いが本体はさほど若くない。二十五、六か。

相方の商人も、声よりも本体の方が年配だった。鬢は白髪で真っ白で、右の瞼は半分ほど垂れ下がっている。両の頰も垂れているから、五十を過ぎているのかもしれない。身形はそこそこ上等、こちらもまた、何かを作る生業を持っているようには見えなかった。さっそくの熱燗の、お酌を受ける指も爪も綺麗すぎる。

二人の傍らには、藍色の風呂敷に包んだ四角いものが置いてあった。ちょうど千両箱みたいな形と大きさだ。もしやこのなかに、盗んだ切り餅がぎっしり詰まっているとしたら、いったいいくらになるだろう。一瞬そんなことを考えて、北一は冷たい汗をかいた。

ついでに座敷のごみを拾い、軽く片付けをしながら耳を澄ましていたら、指南役と商人は、この四角いもののことを「道具箱」と呼んでいた。商人がちょっとこれを持ち上げようとして、かなり重そうにしていた。大工の道具箱か？　しかし、指南役が大工であるはずはない。もしもそうだったら、北一は逆立ちして永代橋を渡ってやる。

二人の男は熱燗を二合あけると、さらに二合頼んで、賽子博打に混じって遊び始めた。やがて、ずっと丁だ半だと興じていた男たちは、夜鳴き蕎麦を食おうと言って出ていった。それに引っ張られるように、指南役の男が厠に立った。

何かしら用事がありそうなふうを装って、二階の座敷に出入りしていた北一も、これを機会にいったん階下へ降りた。喜多次は釜焚き口の前に座っていた。

「どうだった？」

北一が道具箱のことを語ると、

「俺も、あの指南役の男が大工だとは思わねえ。だけどあの道具箱は、大工の道具箱と同じくらい重たい」

何でわかるんだと聞きかけて、北一はすぐ呑みこんだ。こいつの耳なら、聞きとることができるんだ。

「中身は布や紙じゃねえ。人形や本でもねえ。本だけであの重さになるには、箱の大きさが三倍ぐらいないとおかしい」

北一は、ごく素直に口に出してみた。「千両箱じゃねえのかな？」

「本物の千両箱を見たことあるのか」

「……ない」

北一の暮らしには縁がなかった。

「千両箱だったら、もっと薄べったいよ」

喜多次は見たことあるんだな。

「音が聞ければなあ。ちょうどあの商人が来たとき、入れ違いに別の客が出ていったところで、音がまぎれちまったんだ」

それより、中身を見られればもっと話が早い。北一は早口に問うた。「あの座敷の天井裏に上がるには、どうするんだ？」

階段を上がりきったところのすぐ右手にある物置の天井板を持ち上げて、そこから上るのだという。

「じゃ、そっちはおいらがやる。喜多次は連中の動きに目を光らせていて、聞き取れそうなことは耳の穴をかっぽじって聞き取ってさ、そんで、あいつらがここを出たらすぐあとを尾けてくれよ」

こんなことに慣れない北一では、尾けたところで見失ってしまうかもしれない。もっと悪いのは、相手に悟られることだ。

「よし、わかった。座敷の天井板を踏み抜くなよ」

笑い事ではなさそうな忠告をしてから、喜多次は続けた。「もう一つ、思いついたことがあるんだ」

その思いつきは、さらに笑えそうにないものだったが、確かにいい案だった。

「でも、犬のあてはあるのかい？」

「ある」

となると、北一も嫌とは言えなかった。

それから半刻ばかり経って、歳は二十歳ぐらいだろうか、半纏に股引、職人ふうの出で立ちの若者が一人、指南役を訪ねてきた。湯には入らず、いきなり二階に上がった。

すると、商人の方が暇を告げて引き揚げていった。かなりきこしめしていたので、顔が赤いし足取りが怪しい。

こいつを尾けることは、最初から無理だ。こっちは二人しかいないのだから、仕方がない。ただ、喜多次の妙案があとでその分を助けてくれるかもしれない。

指南役と若者は、温くなった燗酒の残りと食べ散らかした魚をつつきながら、額を寄せて話し合っている。埃だらけの天井裏に寝そべり、天井板の隙間から下を窺っている北一の耳には、そのやりとりは聞こえない。指南役の男が、商人が残していった正体不明の箱に手をつける様子はないが、若者はそちらを気にしているようだ。一度だけ、早く箱を開けてくれ（中身を見せてくれ）と急かすのを、

「三人揃ったらね」

と、指南役が宥めるのは聞きとれた。

「へえ、急かしてすみません」

若者のその言を聞きとったとき、北一の耳の奥で何かがぱちりと嚙み合った。

この声、どっかで聞いた覚えがある。

何とかして、この若者の顔をよく見たい。くそ、天井裏にいるから、かえって不便だ。湯屋の小僧のふりをして、座敷に出入りした方がよかったか。

そのとき、天の助けがきた。

「今夜は冷えますねえ」

寒そうに肩をすくめ、若者がぐるりと首をまわして、天井の方に顔を向けてくれたのだ。

――あいつだ。

昼間、木置場の仮住まいで見かけた。婆さんやおばさんたちに囲まれていた。古い布団を売りにきたのかと思ったら、商いではなく、焼け出された人たちに、布団や夜具を配りに来ていたのだった。

「悪いわねえ、こんなにたくさん」と、おばさんたちが感謝していた。

あのときは、侍でもなく職人でもお店者でもなく、武家屋敷勤めの中間かと思った。ひねり髷なんて珍しかったからだ。

今、北一の目の下に見えている髷は、ごく普通の真っ直ぐに整えてある。小袖も鮫小紋なんて上物じゃなく、素っ気ない格子縞だ。それでぜんぜん印象が違うのだ。

こいつはいったい、どういうからくりだ。北一の胸がざわついた。

それからもう半刻以上も待ったろうか。ようやく、一味の三人目が現れた。

こちらは全く若者ではない。三十は過ぎているだろう。背恰好はすらりとしていて、身に着けているものも安っぽくはなさそうだ。小商人ふうと言っておくか。

「やっと来たかい」

いささか眠そうな指南役と、所在なげにあくびばかりしていた若者に、小商人はぺこぺこ頭を下げて、言った。

「あいすみません。女房がまた血を吐いて、しばらくそばを離れられませんでした」

そりゃ大変だと、指南役は身を起こした。

「今は落ち着いたのかい」

「眠ってますが、熱が高くて」

「早く朝鮮人参を呑ませてやりたいね」と、若者が言う。

それには答えず、小商人は、月代がてらてら光るほどの汗を手の甲で押さえた。

「ああ、泡を食って走ってきたから、汗だくですよ」

つと仰向けた顔を目にして、北一はどきりとした。

この顔も知ってる。覚えている。

昨日、やっぱり木置場の仮住まいで、こいつとぶつかった。あのときは、たっぷりの髪油で髷を調えて、薄い綿入れの甚兵衛を着ているのが珍しくて目を惹いた。今は、あんな成りではない。どこにでもいる、普通の小商人ふう。貧しくはないが、洒落者を気取ってもいない。

「じゃあ、さっそくお宝を分けようか」

指南役の男が言うと、若者が座敷の出入口の障子戸に寄り、人気のないことを確かめた。梯子段の下にも誰もいない。いるのは天井裏の北一だけだ。

指南役の男は、風呂敷包みを解いて、中身を取り出した。四方を金具でとめてある、ただの木箱だ。それも新品ではなさそうだ。

蓋はきっちり閉まっており、指南役は苦労していた。それも、ぱかっと開きはしない。ずらすようにして、三分の一ほどがようやく開いた。

「うわぁ」と、若者が声をあげた。小商人の背中が丸くなって、その顔が木箱の方へと吸い寄せられる。

「心配しなくても、あんたらの取り分だからね。二人とも、容れ物は持ってきたよね」

指南役の言葉に、若者と小商人はそれぞれ懐から麻袋を引っ張り出した。雑穀や豆を入れるのに使われる丈夫なものだ。紐が通してあって、背負うこともできる。

「それじゃ、まずトミさん」

指南役は、木箱のなかからずっしりと重そうなものを取り出した。目にしてみれば、何ら珍しいものでも不思議なものでもなかった。

さし銭だ。

麻紐や細い縄に小銭を通し、まとまった金額を持ち歩けるようにしたものだ。行商人や旅人が持ち歩く。小銭の束だから軽くはない。金額が高くなるほど重くなる。

「これと……これと、これだけ合わせて、二両と二分」

北一は思わず「へ？」と声を出しそうになった。二両と二分なら、どうして小判二枚と二分銀にしないんだ？　なんでまた、もっと安い小銭をわざわざ束ねて、それだけの金額にするんだよ。

「イノさんには、こっちね」

小商人の麻袋にも、さし銭が入る。袋の底にきちんとさし銭が落ち着くように、形を整えながら入れていく。

「これが蓋のかわり」

指南役が取り出したのは、二人が持っている麻袋の半分くらいの大きさの、もっと柔そうなくたびれた布袋だ。ただし、ふくらんでいる。振ると、ざっざっと音がした。

「大粒の小豆だよ。うちに帰ったら、小豆粥にして食うといい」

なるほど。これを麻袋の上に載せることで、さし銭を隠すわけだ。万に一つ、麻袋の口が開いてしまっても、外から見えるのはこの小豆が入った袋だけだ。

「今回の気の毒ばたらきも、上々の出来でございました」

指南役の男は座り直し、にこやかに言った。

「深川元町の方は、手じまいだ。あんたらは、もう近づいちゃいけません。次の機会のことは――あんたらにその気があるかどうかだけ伺っておきましょうか」

中間ふうに装っていた職人ふうの若者と、昨日は髪油たっぷりで甚兵衛を着ていた小商人は、背中を伸ばして正座している。ちょっと譲り合うように顔を見合わせてから、小商人の方が先に口を開いた。

「手前は、次の機会もぜひ働かせていただきたいと思っております」

おれも――と、若者があとに続く。そんな二人の顔を見比べて、指南役は満足そうにうなずいた。

「では、またお願いしますよ」

北一は吐き気がしてきた。天井裏の埃と暗がりと窮屈な姿勢のせいではなく、胃の腑ではない、別のところからわいてくる、怒りの吐き気だった。

〈つづく〉

空から爛々たる光が降り注いでいる。

乾いた土に、水が撒かれる。

「ようやく夏らしい日になったけど、明日はまた分からないみたいだ」

「まったくおかしな天候だね」

日当たりのよい緩斜面の畑へ、桶から杓で水を掬っては撒くことを繰り返している麦藁帽子、尻端折り姿のふたりは、田辺広志と吉田茂である。

土用入りしたというのに、東京では単衣の上に綿入れ着用のひとが多いらしい。このところ天候不順なのだ。大磯も昨日まで少し肌寒かった。

「ところで、田辺くん。本当に芽が出るの。土しか見えないけど」

首にかけている手拭の端で、茂は顔や首筋の汗を拭った。

「夏は休眠中なのさ。出芽は初秋で、仲秋の頃には一面に鮮やかな紫色の花が咲くんだぜ」

昨年三月の耕餘塾卒業をもって、自身の学業は終わりときめた広志は、その年の秋より、サフラン栽培を始めている。

サフランは、海外では紀元前よりスパイスや香料や染料、また薬の原料としても重宝されてきた球根植物である。日本では、おもに婦人病に効く漢方薬として幕末に渡来したのが最初で、漢名を番紅花というが、オランダ語のsaffraanに咱夫藍、泊夫藍などの字をあてた。ただ、一般には「唐ラッキョウ」と称ばれた。

国内栽培は不調で、いったん絶種となるものの、再度、栽培を試みた日本人がいる。母親の病気を治したくて、欧州へ行く友人に頼んで、球根を買ってきてもらった篤農家である。明治十九年のことだった。

この篤農家の名を添田辰五郎といい、田辺屋敷と松籟邸の建つ西小磯と、城山を境にして接する国府本郷村のひとなのである。いまも熱心にサフランの栽培と研究をつづけている辰五郎から、広志は球根を譲り受けた。

「開花したらすぐ、花柱の頭を摘んで、炭火で乾燥させるんだ」

「でも、大変な労力のわりには少量しか生産できないって聞いてるけど」

「だからさ、吉田くん。希少価値ってやつだよ。いずれ国の認定を受けて商品化できれば、必ず高値で売れるから、利益が大きいんだぜ」

「認定、受けられる見込みはあるの」

「辰五郎さんは商売っ気がないから、そのへんのところは、おれが考える。学を為すの効は気質を変化するに在り、其の功は立志に外ならず、ってね」

学問をする効験は、ひとの気質を変えて良くすることにあり、それを実行する元をなすものは立志に外ならない、という意である。

「すごいね、田辺くん。そんな言葉、憶えてたんだ」

「何をするにも学問は必要だって教えてくれたのは、吉田くんじゃないか。おれの耕餘塾通いも無駄じゃなかったっていうことさ」

広志のサフラン栽培は捕らぬ狸の皮算用という気がする茂だが、その一方で、やってみなければ分からないとも思う。

いまの日本人は、老若男女等しく、日清戦争の勝利に浮かれて、これからは何でもできるような気になっている。茂自身にも昂揚感はたしかにあるのだ。

「それより、吉田くん。ご母堂さまは、転校をよくお許しになられたな」

茂は、この明治二十八年七月、日本中学校に退校届けを出して、大磯へ帰ってきた。九月からは東京一ツ橋の東京高等商業高校へ転校する。のちの一ツ橋大学の前身である。

「若いうちは誰でも気の迷いはあるものです。なれど、ご当主がおきめになったことに否やはありませぬ、って」

「うわあ、ご母堂さまらしい。かえって怖いよな」

「まあね」

「でも、いいじゃないか。お父上はいろんな商いで成功したんだから、吉田くんにもその血が流れてるはずだ」

「本当に流れてはいないけどね」

前回までのあらすじ

吉田茂は父・健三が亡くなったため、若くして吉田家の当主である。母が暮らす大磯の松籟邸に戻った年の夏、茂は、母から実の子でないことを聞かされ、ショックを受け、また隣人で友である天人のアメリカ時代の悪い噂を耳にする。通っていた耕餘塾を卒業し、東京の中学に入り直すことになった茂は、実父の竹内綱の屋敷に住まうことになった。日清戦争が起き、日本は勝利するが、そんな折、外相を務める陸奥宗光が襲われた。助けたのは、茂も知る松風軒こと山田浅右衛門と天人だった。

茂の養父・健三は、横浜のマジソン商会で働き、軍艦の発注や生糸の輸出などで名を挙げ、独立してからも醬油製造や宅地造成など、様々な分野で商才を発揮して財を成した実業家である。もっとも、実父の竹内綱も、政治家ではあるが、藩士時代は主家の財政再建を担当し、維新後も高島炭鉱の経営に携わるなど、実業家の一面を併せ持つ。

「母上にはああ言われたけど、将来、何になるにせよ、ビジネスを学んでおくのはいいことだと思うんだ」

いまの茂は本気でそう思っている。

「なんだっけ、ビジネスって」

英語学校としても知られた耕餘塾では、広志もある程度の英単語を憶えたものの、ほとんど忘れてしまった。

「商売とか事業のことだよ」

と茂がこたえる。

「じゃあ、おれのはサフラン・ビジネスか」

「そういうことだね」

「ハイカラな響きだなあ。気に入った」

満面の笑みで、広志がうん、うんとうなずいていると、歌が聞こえてきた。

黄色い声だ。

　心やすかれ定遠は
　戦い難く成し果てき
　聞きえし彼は嬉しげに
　最後の微笑をもらしつつ
　いかで仇を討ちてよと
　言う程もなく息絶えぬ

　せいぜい五、六歳から十歳にも満たないだろう子どもたちが、棒切れを振り回しながら、元気よく城山を下りてくるところである。

「本当に燃える歌だよな」

　おのが胸のあたりを、広志は叩く。

　昨年九月の黄海海戦で、日本の連合艦隊の旗艦「松島」は、清国艦隊の砲弾を浴びて、瞬時に戦死三十名、重傷七十名の惨状を呈した。このとき、分厚い装甲の敵の巨艦・定遠を相手に必死の応戦をしていた砲員の三浦虎次郎三等水兵は、血まみれの腹部の激痛に耐えつつ、副長に訊ねた。「定遠はまだ沈みませんか」と。副長は涙を怺えながら「安心せよ、定遠は戦闘不能に陥ったぞ。よくやった」とこたえる。それを聞いて、虎次郎は微笑んだまま息絶えた。享年十八という。

日本中に感動の嵐を起こした戦争美談であり、歌人として知られる佐佐木信綱も、大いに心を打たれて、十節からなる歌詞を一晩で書き上げた。これに宮内省雅楽局の奥好義が曲をつけ、『勇敢なる水兵』という歌曲名で、今年に入って発表されるやいなや、たちまち国民の愛唱歌となった。佐佐木信綱が別荘をもつ大磯では大流行歌といってよい。

ガシンンショータン
ガシンンショータン

『勇敢なる水兵』を歌う子らから少し後れて下りてきた小さな男の子が、ガシンンショータンと声に出すたび、可愛い拳を突き上げる。

「ガシンンショータン」

広志も、声を張り上げ、その男の子の注意を引いてから、拳を突き上げてみせた。

「やめろよ、田辺くん。あの子は意味も分かってないんだから」

「そんなことはないさ。おとなたちのようすから、口惜しいって感じは伝わってるんだ、きっと」

平壌占領、黄海海戦大勝、旅順占領と日本軍は連戦連勝し、今年二月には清国北洋艦隊を降伏せしめ、丁汝昌提督を自殺へと追い込んで、ついに四月十七日、通称を下関条約という日清講和条約の調印に至った。

敗戦国の清は朝鮮の独立を承認し、日本に対しては賠償金二億両を支払い、遼東半島・台湾・澎湖島を割譲し、沙市・重慶・蘇州・杭州を開市、開港するほか、欧米諸国が有する通商上の特権も同様に認める、というのが条約の要点である。

ところが、そのわずか六日後、外務省を訪れたロシア、ドイツ、フランス三国の駐日公使より、遼東半島の領有を放棄するよう勧告される。日本の遼東半島領有は、北京にとって脅威であり、朝鮮独立にも障礙となって、むしろ極東の平和を乱しかねない、というのだ。いわゆる三国干渉だが、日本の勢力拡大が自国の南進の妨げになると危惧したロシアの主導による。

日本は、対抗して、イギリス、アメリカ、イタリアの援助を画策するが、早々とイギリス外相より協力はできないと通告され、また、これを好機と捉えた清国からも下関条約の批准書交換延期を要請される。次いで、ロシアが日本の旅順所有に不満を表明した。これ以上、結着を先送りにすれば、列国のさらなる干渉を受け、条約を最初から見直すという最悪の事態に陥りかねない。

五月四日、日本政府は遼東半島の全面放棄を決定する。苦渋の決断だった。そして、同月八日、清国芝罘において日清講和条約の批准書が交換されたのである。

圧勝というべき戦勝国でありながら、列国の干渉を拒否できなかったのは、屈辱以外のなにものでもない。

五月十五日、言論界の雄である三宅雪嶺が同志新聞『日本』で「嘗胆臥薪」と記し、その趣旨を国粋主義者の杉浦重剛が『東京朝日新聞』で説いた。両紙が政府から発禁処分をうけるや、今度は『読売新聞』が同月二十三日に「臥薪嘗胆」の囲み記事を載せ、その日からいまもなお一面に「臥薪嘗胆」の記事を掲載しつづけている。

越との戦争で敗死した呉王の子・夫差は、父の仇を忘れないよう薪の中に臥して自身を苦しめ、ついに越王勾践を打ち破った。一方、刑死を免れた勾銭も、苦い胆を嘗めることで敗戦の恨みを忘れず、やがて夫差に復讐を果たす。この中国の春秋時代の故事から、仇を報じたり、目的を達成するためには、どんな艱難辛苦も厭わない、というのが臥薪嘗胆の意である。つまり、列国、あからさまに言えばロシアに対して、いつか必ず報復できる力がつくまでは、皆でひたすら耐え忍ぼうではないかということだ。

さらに、福沢諭吉が主宰の東京の最有力紙『時事新報』でも、「三国干渉　ならぬ堪忍するが堪忍」と題し、臥薪嘗胆を一層強調するような社説を六月一日に掲載した。

　名声の高い福沢の論説というものは、世論や政府の政策に影響力をもっている。日本が清国に宣戦布告するときも、事前の『時事新報』紙上における福沢の檄文は後押しになった。「臥薪嘗胆」も同じである。多くの日本人の琴線に触れ、共通の合い言葉として、幼い子らでさえ当たり前に口にする大流行語となったのだ。

　小学校では体育教育を重視するよう、文部省よりお達しが出て、運動会などがより盛んに挙行されるようになったのも、臥薪嘗胆の一環といえようか。

　そして、十代で護国の英霊となった三浦虎次郎のように、お国のために何ができるのかを真剣に考える若者がいまや急増しており、それは学生であっても変わらない。そのため、自分が真に学ぶべきことを求めて転校をする者がめずらしくなくなった。茂もそういう学生のひとりであり、なればこそ、東京高等商業高校への転校を決意したのだ。

「でも、吉田くん。いずれ帝国大学へは行くつもりなんだろ」

「それもちょっと迷ってるんだ」

「迷わず行ってくれよ」

「どうして」

「いちばんの親友が帝大生って、自慢できるからさ」

「冗談だよ。まあ、じっくり考えたらいい。吉田くんがどういう道を選ぼうと、おれはずっと親友だから」

「それって、去年の慶應義塾の大運動会のとき、ぼくが田辺くんに贈った言葉、そのまんまじゃないか」

「そうだっけ」

空惚ける広志である。

サフランの栽培法に関して添田辰五郎に訊きたいことがあるので、これから国府本郷村へ行くという広志と別れて、茂は二号国道へ出た。

きょうは天人は出かけていて、大磯に不在である。

(板子乗りをやろう)

せっかく暑い日なのだから、と板子を取りに松籟邸へ戻りかけて、茂は門前で足を停めた。

(訪ねてみようかな、聴漁荘を……)

東小磯に建てられて間もない陸奥宗光の別荘がそう称ばれている。

日清戦争の開戦前から終戦まで、激務に堪えつづけた外相の陸奥は、下関における清国全権の李鴻章との講和談判中、心配した皇后から看護婦を差し遣わされるほど、持病の肺患が悪化しており、遼東半島の全面放棄を決定した直後、ほとんど強制的に賜暇療養を命ぜられた。官吏が特旨によって休暇をとるのを許されることを、賜暇という。

陸奥は聴漁荘で療養している。世話をやくのは、むろん妻の亮子だ。

茂の母・士子の主治医でもある松本順が数日おきに聴漁荘へ往診するので、陸奥の病状について、茂は順から聞き出している。ときどき発熱はするものの、いまは落ち着いているという。だが、ひとと会って長談することは控えねばならないそうだ。だから、茂も大磯に戻ってから、まだ一度も聴漁荘を訪ねていなかった。陸奥夫妻を外で見かけたこともない。

ただ、その日の陸奥の体調次第では、朝夕に夫妻が連れ立って浜辺を散歩することもあるらしい。

茂はふたたび一号国道へ出た。鴫立橋のあたりまで行って戻ってこようと思ったのだ。その行き帰りの途次で、ひょっとしたら憧れのひとに出会えるかもしれない。出会えなければ、それはそれで仕方のないことだ。

切通橋を渡り、八坂社の前を通って、東小磯へ、茂はぶらぶらと歩く。海側の小道へ踏み入れば聴漁荘へ近づくが、そのまま一号国道を進んだ。そこまでしては、何やら怪しからん行為のように思えたからだ。

東小磯から台町へ入ったところで、二号国道をこちらへ向かって走ってくる尻からげの男に、茂は気づいた。

褌の布が外れてひらひらしているのも構わず、何やら必死の形相だ。

(越中褌だな)

と茂は思った。一般的な褌は、六尺の布を使って後ろで結ぶ。短い三尺の越中褌は後ろに細紐をつけるが、前の部分が外れやすいのだ。

その男の後方にも、もうひとり、男が見える。平たい麦藁帽子の頭部を押さえながら、こちらは洋装で駆けている。越中褌の男を追っているようだ。

越中褌の男は茂に迫る。

にわかに怖くなって、茂はすぐ目の前の北側の横道へ身を避けようと足を踏み出した。が、越中褌の男が茂より先にその横道へ入った。妙昌寺のほうだ。

追手の洋装の男も続く。

(あのひとは……)

平たい麦藁帽子と容姿の全体に、見憶えのある気がした。

確かめたくなって、茂も横道へ入る。

越中褌の男は妙昌寺の境内へ逃げ込んだ。洋装の男も足送りを速めて追う。

往古、いまの鉄路の北側にあった妙昌寺は、江戸期にこの東小磯と台町の境あたりに移転した。日蓮宗派で、釈迦如来を御本尊とする。

境内の杜では蟬が喧しい。夏の暑さが戻ったからだろう。

追手が逃走者を捕らえたのは、本堂の前である。

「みんな、危ないから、帰りなさい」

茂は、境内で遊んでいた子らを追い立ててから、参道の木陰に身を寄せ、男たちのようすを窺った。

「痛ててて っ、放しゃがれ、ちくしょう」

洋装の男にひねり上げられた腕を、越中褌の男は振り解こうとするが、動くたびに逆をとられている。

洋装の男は、越中褌の男を足払いで倒して、地面に突っ伏させると、その背へ、どんっ、としゃがみ込んだ。

息を詰まらせた越中褌の男の動きが停まる。その間に、洋装の男は、おのがズボンのベルトに掛けてあった紐を手にするや、相手を後ろ手に縛った。よどみない動きだ。

（やっぱり、あのときの……たしか、岩井三郎という名だった）

榊原志果羽が五色の小石荘で大暴れした明治二十四年の夏、志果羽を連れ戻しにきた男だ。茂はピストルで威された。岩井が警視庁の刑事で、榊原鍵吉に剣を学び、その孫娘たる志果羽を好いていると茂が知ったのは、翌年の夏のことである。もっとも、それらは思い込みの強い志果羽から明かされたことなので、好いているという点に関しては疑わしい、と茂は思っている。

「おい、とんちき」

岩井が、脱いだ麦藁帽子を団扇代わりにして、自分を扇ぎながら言った。

「とんちきじゃねえ。留吉だ」

越中褌の男が、後ろへわずかに頭を回して、怒鳴り返す。

「じゃあ、とんちきの留吉よ。お前みたいな放蕩息子でも、親は可愛いらしい。心を入れ替えて家業に精を出すって約束するのなら、勘当を解いてやるそうだ」

「性分に合わねえんだ、植木屋なんてよ」

「お前の性分など、どうでもいい。下谷へ帰るのか帰らないのか、返答しろ」

どうやら、留吉というのは東京は下谷の植木屋の倅らしい、と茂は見当をつけた。下谷の池之端あたりは植木屋が多い。

「帰るもんか」

また語気を荒らげた留吉である。

「お前、賭場の負けを踏み倒して逃げ、武州八王子の加住一家にも追われてるだろう」

「むこうが、いかさまをやりやがったんだ」

「賭場にいかさまは付き物だ。もともと堅気のお前が出入りするところじゃない」

「てめえは、おれに説教しにきたのか」

「やくざに捕まったら、説教じゃ済まないんだよ」

ぱんっ、と岩井は留吉の後頭部を平手で張った。

「もういちどだけ訊く。下谷へ帰るか」

「帰らねえって言ってるだろうが」

「なら、仕方ない」

岩井は、留吉の左腕を強く摑んだ。

「痛ってえ。ばかやろう」

「お前、左が利き腕なんだろう。植木職人にならないのなら、こいつは必要ない。へし折ってくれと、お前の親父から頼まれたのさ。これも報酬に含まれてるんだ。悪く思うな」

「ふざけんじゃ……うあああっ」

留吉の左腕が妙な方向に曲げられそうになる。

「分かった。帰る、帰る、帰るからよ。勘弁してくれ」

「途中で逃げ出そうとしたら、左も右もへし折るからな」

岩井は、留吉を後ろ手に縛したまま立たせると、その紐を掴んだ。

「歩け」

留吉の背を押しやりながら参道を戻りはじめた岩井は、木陰から覗くひとを視線の先に捉える。

(まずい)

茂は、背を向けた。が、露見しないだろうとも思う。

五色の小石荘での一件は四年前、それも夜に起こったことで、明かりといえばマイクが持っていた石油ランプの心許ないものだった。あれから茂の身体は成長しており、顔つきも少しは大人びたから、記憶に残っているとしても、いまの茂とは合致しないはずだ。

岩井が、留吉に停まるよう命じてから、

「そこの坊主」

と木陰の茂へ声を投げた。

「刑事の目と記憶っていうのはな、生半可なものじゃないんだ。お前、吉田茂だろう」

茂は、びくっとした。が、露見したからには観念するほかない。木陰から出て、岩井の近くまで寄った。

「あのあとも、お前のことはお嬢から聞いている」

志果羽のことを、岩井はお嬢と称ぶ。

「それは、どうも……」

茂のおもては少し引き攣ってしまう。ピストルを横腹に突きつけられた恐怖が蘇ったのだ。

「あのときは悪かったな」

「えっ……」

謝罪されるとは予想だにしていなかった茂である。

「怖がらなくていい。おれはもう警視庁を退官した」

「でも、そのひとを……」

留吉という男を捕縛したではないか。

「刑事の仕事じゃない。探偵の仕事だ」

「探偵になられたのですか」

これもまた意外である。

あの夏、榊原鍵吉は、志果羽が女だてらにおかしな仕事を始めたから、やめさせろ、と剣の門下生の岩井を大磯へ遣わしたはずだ。当時、志果羽は日本初の探偵社である〈探真社〉に雇われており、おかしな仕事というのはそれだった。翌年の夏に茂が志果羽と会ったときは、とうに〈探真社〉を辞めていた。師匠の鍵吉が嫌った探偵業に、岩井はなぜ就いたのだろう。

「驚くにはあたらない。仕事や生き方の選択肢が増えた世の中だ」

岩井は若くして警視庁警視となり、数々の事件を解決したのだが、優秀すぎるがゆえに度々、周囲と揉めた。

ある重大事件でめずらしく犯人を取り逃がした岩井は、その潜伏先が北海道であることを探り当てるや、ただちに逮捕に向おうとしたところ、管轄区域外により不許可だというので、腹を立て、上層部に食ってかかった。

日清戦争のときには、司法主任として、開戦前から清国や朝鮮のスパイを摘発した。そして、大本営が広島に設けられると、今度は独断で現地へ赴き、そこでも手柄を立てたものの、帰京命令が下され、やむなく従った。このとき警察という組織の不自由さをあらためて痛感し、退官を決意したのだ。

事件を追い、犯罪者を捕らえることを生き甲斐としてきた岩井は、なにものにも縛られず、自分の能力を存分に発揮したかった。海外の私立探偵はそうしている。

刑事を辞めた右の理由を、むろん岩井は茂には語らない。

「岩井三郎事務所は、日本橋新右衛門町にある。お前の隣人のシンプソンに伝えておいてくれ」

「どうしてシンプソンさんに」

「謎の多い男のようだからな。探偵が必要なときがあるんじゃないか、きっと」

「それは、ぼくには分かりかねます」

「去年の年末に舞子で、シンプソンを見かけたのさ。なぜこんなところにいるのかって、ちょっと驚いたんだ。まあ、一瞬で見失ったがな」

「舞子って、もしや熾仁親王さまの御最期の地の舞子ですか」

「よく知ってるな」

「日本中の輿望を担っていた御方ですから」

戊辰戦争のとき、流行歌となった軍歌『とことんやれ節』の冒頭の歌詞に出てくる「宮さん、宮さん」は、官軍の東征大総督として活躍した熾仁親王をさす。以来、天皇に最も信頼され、国民の人気も高かった。

日清戦争においても、陸海全軍の総参謀長を拝命し、天皇に随行して広島の大本営から指揮を執った熾仁親王だが、昨年末に腸チフスに罹患してしまい、兵庫県明石郡垂水村舞子にある有栖川宮舞子別邸で静養することになった。

病状はいちどは持ち直したものの、年が改まるや、再び悪化し、この明治二十八年一月十五日に薨去。亡骸は東京へ運ばれ、同月二十九日に小石川豊島岡墓地に葬られた。国葬である。

（天人は親王さまのご病気見舞いに行ったのかな……）

もしそうであるとすれば、天人と熾仁親王は浅からぬ関係だったということになる。だが、さすがにそれはないだろう、と茂は思い直した。いくらなんでも、もとは江戸の浮浪児だったらしい天人が皇族とつながるはずがあるまい。天人が舞子にいたのは偶然ではないのか。あるいは、岩井が見間違えたのだろう。

（でも、このひとは、ぼくのことをちゃんと憶えていた）

とはいえ、茂は、謎の多いことを承知の上で天人と友垣を結んでいる。いま詮索するつもりはない。

「シンプソンさんに伝えてはおきますが、そちらもお忙しいのではありませんか」

「たいてい、お茶を挽いている」

芸妓や娼妓が客がいなくて暇な状態を、お茶を挽くと言い、他の仕事でも譬喩として用いられる。

「なあんだ、暇なんだ」

反射的にそう口走ってしまってから、茂はおのが口を塞いだ。

「お嬢の言ってた通りだ。吉田茂って小僧は、相手がいやがることをちょいちょい口にする」

「ごめんなさい」

「まあ、探偵業というのは日本じゃまだ嫌悪されている。やってることは犯罪者と変わらない、とにかく胡散臭いってな。だが、おれはいずれ必ず、大きな事件を解決して、世間の偏見を拭う。それまでは流行り言葉で言えば臥薪嘗胆ってやつで、こんなくず野郎を探し出して親元に届けるなんて仕事を請けるのも厭わないのさ。お前も、迷子の犬探しでも、好きになった女の素行調査でも何でもいい。おれがやってやる」

「お金、とるのでしょう」

「当たり前だ。最初に高い契約料をいただく」

「それも依頼がこない理由のひとつなのでは……」

「探偵に権力はない。依頼されたことを必ずやり遂げるには、一にも二にも金力なんだ。それに、おれは依頼を請けたあとは、何が起こっても追加料金を決して要求しない。だから、最初から高額なのさ」

探偵は権力より金力。

これは、後年、日本一の探偵と称えられ、江戸川乱歩の小説に登場する名探偵・明智小五郎のモデルともいわれる岩井三郎が、終生、信条としたことである。

「あんた、おれの親父からも随分とぼったくったんだろうな」

と呆れ顔を後ろへ回した留吉だが、瞬時の返答に、大きくよろめく。頬に岩井の平手を浴びせられたのだ。

「坊主。おれはこれから東京へ戻るが、お嬢に言伝てはないか」

「えっ、ぼくが志果羽さんにですか。あるわけないでしょう」

「そうか。分かった。吉田茂はお嬢とは口もききたくないそうだと伝えておく」

「そんなこと言ってません」

平河神社で江戸抜刀隊の者を木刀で打ち殺しかけた志果羽の恐ろしい顔が、茂の目の前に浮かんだ。

「じゃあな」

青ざめた茂を笑ってから、岩井は留吉の背を乱暴に押しやって境内を出ていった。

（たちの悪い冗談だなあ）

いちど目を瞑って、頭を振り、志果羽の顔を消し去る茂である。

（そうだ、お見舞いでいいんだ）

天人と織仁親王の関係を想像したことが、いまになって当たり前の方法を思いつかせてくれた。陸奥宗光への病気見舞いなら聴漁荘を堂々と訪ねられる。

あとは見舞いの品を見繕うだけだ。

（新杵の虎子饅頭か西行饅頭か、もしくは寿堂のさざれ石か……）

茂は、足早に妙昌寺をあとにした。

〈つづく〉

寺嶌 曜

Terashima yo

グラフィックデザインの延長線上に生まれた物語

取材・文＝友清 哲

事故で失明したはずが、突如、三年前の光景を見ることができるようになった右眼。主人公の尾崎冴子（おざきさえこ）刑事がこの能力を使って未解決事件の解明に挑むという、特殊設定をまじえたミステリー、『キツネ狩り』が話題を呼んでいる。

六十四歳で作家デビューを果たした背景もまじえ、本作で第九回新潮ミステリー大賞を受賞した寺嶌曜氏にお話を聞いた。

コロナ禍の逆境の中で果たされたチャレンジ

——本業はグラフィックデザイナー

『キツネ狩り』
新潮社
定価：1,925円（10%税込）

てらしま　よう
1958年大分県生まれ。グラフィックデザイナー。福岡県在住。『キツネ狩り』で第9回新潮ミステリー大賞を受賞。

とのことですが、小説を書き始めたきっかけは何だったのでしょうか。

寺嶌　コロナ禍になって、単純に時間ができたというのが大きいですね。もともと博物館や美術館などで催されるイベント関係の、グラフィックデザイナーとしての仕事を多く手掛けておりました。しかし、このパンデミックで一時的に暇になってしまい、だったら前から頭の中で勝手に構想していた物語を小説にしてみようと考えたんです。それに、コロナは世の中にマイナスな影響ばかり与えましたから、何かひとつでも自分にとってプラスになることがしたいという気持ちもありました。

――その、頭の中で構想していた物

語というのは？

寺嶌　グラフィックデザインの仕事中も、その原型となる物語がいつも頭の中にあって、それを「こういう物語、面白いと思わない？」と、ランチを食べながら事務所のスタッフたちによく話していたんです。今回、それをそのまま小説の形に整えて書き上げたら、こうして長編一本分の量になったという感覚です。

――すると、これが小説としては人生初作品？

寺嶌　そうなりますね。ただ、この言い方だと、まるで天才のように思われてしまいそうですが（笑）、そうではありません。私にとっては頭の中のアイデアを、グラフィックとしてまとめるか、文字で表現するかという違いで、長年やってきた作業の延長のようなものです。それに、マイクル・コナリーなどの海外ミステリーや国内の推理小説が昔から好きで、よく読んでいました。今回は、私なりの文章で物語を表現できたと思います。

――では、右眼で三年前の光景を見ることができる女性刑事というアイデアの、そもそもの着想は何だったのでしょう。

寺嶌　私自身が、右眼に少し不調があって、一年に一度くらい赤く充血するんです。眼科で検査を受けたところ、眼圧が高いため、たまに血管が破れて充血するのだと説明を受けました。それで自分でも気になっていろいろ調べてみたところ、眼というのは見たものが脳まで伝わるまでに、実はコンマ数秒のタイムラグがあるということを知りました。では、そのコンマ数秒が三年になったらどうなるのだろうと考えたことが、今回のアイデアの発端です。

——実際に、その物語をスタッフの方に語って聞かせていたわけですね。

寺嶌　そうなのですが、当時は女性ではなく男性が主人公で、刑事という設定もありませんでした。実は今も警察ミステリーを描いたつもりはあまりなくて、最初はどちらかというとハードボイルド系の物語をイメージしていたんです。しかし、何らかの事件を解決するなら、登場人物に犯人を捕まえる権限がなければならないので、自ずと刑事という肩書きが必要になりました。

——その現場に行けば三年前の光景を視認できる能力が、本作の一番のギミックになっています。

しかしその反面、タイムラグにより目に見えているのに捕まえることができないというジレンマが、物語にいっそう奥行きを与えている印象を受けました。

寺嶌　三年前が見えるこの特性について、物語の中であまり「能力」として扱っていないのはそのためで、これは交通事故によって負った障害なんです。だから、たとえ目の前で人が殺されようとしていても助けることができないジレンマは、彼女に課せられた業のようなもので、小説を書く以上はそうした縛りはあって然るべきだと考えました。

頭の中には まだまだたくさんの物語が

——すでに新人離れした筆力、構成力が各所で絶賛されています。ストーリーテリングの点で心掛けていたことは何でしょうか。

寺嶌　こうした特殊な能力があるからといって、簡単に犯人を捕まえられる話にするつもりはありませんでした。むしろ、現在の様子が見えず、三年前の光景しか見えない障害を負った主人公は、刑事としてどう仕事に貢献できるのかというのが主題のひとつで、これはいわば「赤鼻のトナカイ」なんです。

この童謡では、トナカイは醜い自分に劣等感を覚えて落ち込むわけですが、サンタはその個性のおかげで暗い夜道を進むことができるのだと言います。尾崎冴子という人物も同様で、自分は傍観者であることしかできないと思い悩みますが、周囲がそれを支え、捜査に活かそうとする。そんな悩みを乗り越えて犯人を追う面白さを表現したかったんです。

——処女作にして、これほどの好評を得ている現実については、どう感じていますか。

寺嶌　ネット上の声などはあまり見ないようにしていますので、あまりピンとこないんですよ（笑）。私の周囲には家族も含めてあまり小説を読む人がいませんし。ただ、前からこの物語の原型を語って聞かせていたスタッフたちは、こうして本になったことにびっくりしていますけどね。

――そもそも「小説家になりたい」ではなく、「この物語を文字で表現したい」という、プリミティブな意欲が原動力であった様子が窺えます。

寺嶌　それはその通りだと思います。「センス・オブ・ワンダー」という言葉がありますが、右眼で三年前の光景が見えるということから広がっていく世界を表現して、この物語を読む人に面白さと感動を伝えたいという気持ちが強いですね。

――だからといって、この一作で満足されたわけでは……。

寺嶌　ありません。私の頭の中には、ほかにもいくつかの物語がありますので、それらを順に書いていきたいと思っています。

――また、六十四歳という年齢で新人作家としてデビューしたことについては、ご自身ではどう感じていますか。

寺嶌　普通は年齢が話題になるのは十代の方とか、若い方ですよね。自分は完全なるオールドルーキーで、映画『マイ・インターン』のロバート・デ・ニーロのようなものですから、やはり戸惑いはあります。でも、デ・ニーロがこの映画の中で、「音楽家に定年はない。心から音楽が消えたら終わりなのだ」と語っているように、自分の中で小説への意欲が尽きないかぎりはやっていけるのではないかと感じています。

――今回の『キツネ狩り』では、主人公の脇をベテラン刑事とキャリア警視が固めるトリオのユニットが非常に魅力的でした。

シリーズ化に対する期待が高まります。

寺嶌　デビューしたばかりの身なので、私の口からは何とも言えません。でも、この設定、このキャラクターでやりたいことは他にもありますし、読者の方から「この能力を生かしてこんな事件に挑んでほしい」といった声をいただくこともあります。そうした意見をありがたくお聞きしながら、自分なりに考えたいと思います。

――最後に、これから目指す理想の作家像について、聞かせてください。

寺嶌　読者の方が楽しんでくれる物語を書くことが一番です。コロナ禍ではライブや演劇がストップしたように、娯楽というのは本来、人が生きるうえでの優先順位が低いものかもしれません。しかし一方で、エンタテインメントに心を救われた人が、私も含めて大勢いるのも事実です。自分の頭の中にある物語が、そこに少しでも貢献できれば嬉しいですね。

わたしのちょっと苦手なもの 5

名刺交換

岡本真帆（歌人）

大人数での名刺交換と、名刺に書かれている名前を覚えるのが苦手だ。だって、無理じゃないか？　あの儀式（ぎしき）の最中に、名前を覚えることなんて。

私は名刺交換の最中、余裕のあるプロ社会人のふりをしている。挨拶（あいさつ）する順番。自分の名前を名乗るタイミング。上体の角度。名刺の向き、名刺の高さ。涼しい顔をしながら、内心儀式の手順を間違えないことに必死になっている。相手が一人のときは、いただいた名刺をじっくり確認し、そこでなんとか自分のペースを取り戻せるからいい。問題は、お互い三人ずつとか五人ずつとか複数人いるときだ。一息つく暇もなく、社会人しぐさのコンボだ。プロ社会人っぽく見せようとしているが、中身はぽんこつ社会人。こういうときに化けの皮が剝（は）がれる可能性が高いので、頭をフル回転させて取り繕（つくろ）っている。大きなテーブルのある会議室の中で、部屋の隅っこの方で順番待ちをする。偉い人から順に名刺を交換し、終わったら次へと進んでいくあの時間。ぐるぐると回っていく感じは少しクリスマスのプレゼント交換タイムみたいだ。俯瞰（ふかん）で動きを見たら、きっと変な光景になっている。未来人がこの時代の名刺交換を見たら、本当に何かの儀式だと思うかもしれない。

全員と名刺を交換し終えて席に着いたとき、私はもう、誰が誰だかわからなくなっている。一枚一枚に書かれた肩書きと顔を見比べてなんとか推理するが、上下関係のないフラットな現場だった場合、お手上げだ。打ち合わせが終わるまでに会議内容からなんとか名前を紐付けていくけれど、みんなはどうしているんだろう。名刺交換が体に染みついている人は、所作の傍らしっかりと相手の名前を記憶しているのだろうか。

小学生の頃、学校の算数で九九を学んでいた時期は、いんいちがいち、いんにがに、と繰り返し声に出していた。だから九九は二十年経った今でも私の体に染みついている。自転車に乗れるようになったのだってそうだ。練習を繰り返したことで、あるとき体が乗り方を習得して乗れるようになった。

そう考えると……。私に足りないのは反復の可能性がある。形式知でしかない名刺交換を、暗黙知化すべく、体に叩き込む。バットの素振りのように、何度も何度も。そうすればいつか名前も一発で覚えられるかもしれない。誰もいない部屋で、上体の角度を気にしながらエア名刺交換をする私。その光景こそ、未来人が見たらヤバいと感じるのだろうけど。

おかもと　まほ　1989年、高知県生まれ。広告会社のコピーライターを経て、現在は株式会社コルクで所属クリエイターのPRを担当する傍ら、歌人として活動中。著書に『水上バス、浅草行き』がある。未来短歌会出身。

文蔵

◆筆者紹介◆

7・8月号

小路幸也 しょうじ ゆきや

61年北海道生まれ。02年『空を見上げる古い歌を口ずさむ』で第29回メフィスト賞を受賞。著書に「東京バンドワゴン」「花咲小路」シリーズなど。

瀧羽麻子 たきわ あさこ

81年兵庫県生れ。2007年『うさぎパン』でダ・ヴィンチ文学賞大賞を受賞し、デビュー。著書に『ありえないほどうるさいオルゴール店』『博士の長靴』など。

西澤保彦　にしざわ やすひこ

60年高知県生まれ。95年に『解体諸因』でデビュー。著書に『七回死んだ男』『パラレル・フィクショナル』、「匠千暁」「腕貫探偵」シリーズなど。

福澤徹三　ふくざわ てつぞう

62年福岡県生まれ。２００８年『すじぼり』で第10回大藪春彦賞を受賞。ホラー、怪談実話、警察小説など幅広いジャンルで執筆。著書に「俠飯」シリーズなど。

宮部みゆき　みやべ みゆき

60年東京生まれ。『理由』で直木賞を受賞。『〈完本〉初ものがたり』『あかんべえ』『ぼんくら』『桜ほうさら』『この世の春』『きたきた捕物帖』など著書多数。

宮本昌孝　みやもと まさたか

55年静岡県生まれ。『天離り果つる国』で、『この時代小説がすごい！ 22年版』の単行本部門第一位を獲得。著書に、『剣豪将軍義輝』『ふたり道三』『風魔』など。

村山早紀　むらやま さき

63年長崎県生まれ。『ちいさいえりちゃん』で毎日童話新人賞最優秀賞、椋鳩十児童文学賞を受賞。代表作に「コンビニたそがれ堂」「桜風堂ものがたり」シリーズなど。

文蔵◆バックナンバー紹介

Vol.183 2021年9月
〈特集〉**疲労回復！「温泉・お風呂小説」**

Vol.184 2021年10月
〈特集〉**冲方丁25年の歩み**

Vol.185 2021年11月
〈ブックガイド〉**再発見！「短篇小説」の魅力**
●新連載小説 **坂井希久子**「セクシャル・ルールズ」（〜2022・10）

Vol.186 2021年12月
〈特集〉**特殊設定ミステリが面白い**

Vol.187 2022年1・2月
〈ブックガイド〉**「ものづくり」小説を堪能しよう**

Vol.188 2022年3月
〈特集〉**「小説カフェ」で一休み**
●新連載小説 **高嶋哲夫**「首都襲撃」（〜2023・5）

Vol.189 2022年4月
〈ブックガイド〉**「桜小説」で、春を味わう**

Vol.190 2022年5月
〈特集〉**「ヘタレ」な主人公が愛おしい**
●新連載小説 **宮本昌孝**「松籟邸の隣人」

Vol.191 2022年6月
〈特集〉**平安時代の小説が刺激的**

Vol.192 2022年7・8月
〈ブックガイド〉**動物と小説でふれあおう**

Vol.193 2022年9月
〈ブックガイド〉**小説で「お金」を考える**

Vol.194 2022年10月
〈特集〉**いま読み始めたい文庫シリーズ小説**

Vol.195 2022年11月
〈特集〉**図書館、博物館小説で文化を味わう**
●新連載小説 **福澤徹三**「恐室 冥國大學オカルト研究会活動日誌」

Vol.196 2022年12月
〈特集〉**山口恵以子デビュー十五年の軌跡**
●新連載小説 **小路幸也**「すべての神様の十月㈢」

Vol.197 2023年1・2月
〈ブックガイド〉**新世代のミステリー作家に大注目**
●新連載エッセイ わたしのちょっと苦手なもの

Vol.198 2023年3月
〈特集〉**「建物」が生み出す物語**
●新連載小説 **西澤保彦**「彼女は逃げ切れなかった」

Vol.199 2023年4月
〈特集〉**二刀流作家の小説が面白い**

Vol.200 2023年5月
〈特集〉**あさのあつこ その作品世界の魅力**

Vol.201 2023年6月
〈特集〉**時代を映す「青春小説」**
●新連載小説 **瀧羽麻子**「さよなら校長先生」

※創刊号（2005年10月）〜Vol.172（2020年7・8月）は品切です。

目次は文蔵HP[**https://www.php.co.jp/bunzo/**]でご覧いただけます。

ＰＨＰ文芸文庫　文蔵 2023.７・８

2023年６月29日　発行

編　者	「文蔵」編集部
発行者	永田貴之
発行所	株式会社ＰＨＰ研究所
東京本部	〒135-8137　江東区豊洲5-6-52
	文化事業部　☎03-3520-9620(編集)
	普及部　☎03-3520-9630(販売)
京都本部	〒601-8411　京都市南区西九条北ノ内町11
PHP INTERFACE	https://www.php.co.jp/
制作協力 組　版	朝日メディアインターナショナル株式会社
印刷所 製本所	図書印刷株式会社

ISBN978-4-569-90316-3